D0727426

ON NE BADINE PAS AVEC L'AMOUR

et autres pièces

ALFRED DE MUSSET

On ne badine pas avec l'amour
et autres pièces

ALFRED DE MUSSET
(1810-1857)

Un Musset aurait épousé, au XVIe siècle, une petite cousine du poète Joachim du Bellay... Victor de Musset-Pathay, chef de bureau au ministère de l'Intérieur, cultive lui-même la muse. Son fils Alfred naît le 11 décembre 1810. Enfant prodige, puis adolescent brillant, il hésite, après un baccalauréat obtenu à 17 ans, entre Polytechnique et la poésie... et choisit la seconde.

Ses premiers poèmes séduisent Sainte-Beuve, et Théodore de Banville. Enivré par le succès, il vit comme un dandy, s'affichant dans les lieux à la mode portant des vêtements voyants. Ses *Contes d'Espagne et d'Italie*, en 1830, sont applaudis. Pendant les Trois Glorieuses, il court les barricades avec son frère Paul. *La Nuit vénitienne*, jouée en décembre, est un échec retentissant — son premier échec. Il en restera meurtri.

En 1833, année d'une autre pièce, *les Caprices de Marianne*, il rencontre George Sand chez le directeur de la *Revue des Deux Mondes*, qui publie ses œuvres (à l'époque, les pièces étaient fréquemment publiées sans être pour autant jouées).

L'idylle est de courte durée. Le Tout-Paris commence à peine à s'amuser de leur liaison que deux mois après leur première rencontre, c'est déjà le drame : Musset, alors qu'il se promenait en forêt, est pris d'une crise de folie. Il affirme avoir vu passer un spectre, son double, mais vieilli, ivre, malade... George Sand, afin de le guérir, l'emmène à Venise. Où il court les cabarets, avant d'être en proie à une nouvelle crise. Et George Sand s'éprend du médecin qui le soigne...

Revenu à Paris, Musset reprend ses habitudes de débauche. Pendant deux ans, au cours desquels il achève *Lorenzaccio* et *On ne badine pas avec l'amour*, ce sera une suite de disputes, de réconciliations, de ruptures avec George Sand, qui finit par aller se réfugier à Nohant. Instable, malade, souvent ivre, Musset écrit *la Confession d'un enfant du siècle, la Nuit de décembre*... tout en entretenant des liaisons orageuses avec ses admiratrices, parmi lesquelles la comédienne Rachel. Nommé conservateur de la bibliothèque du ministère de l'Intérieur en 1838, il tombe gravement malade. Le Paris littéraire, qui ne lui pardonne pas ses frasques, le prétend déjà fini. À 28 ans ! Il en a conscience, et ébauche *le Poëte déchu*, un roman qu'il n'achèvera jamais.

Ses pièces sont refusées par les directeurs de théâtre pour « immoralité », et « apologie de l'adultère ». En 1847, *Un caprice* est monté à la Comédie-Française. Musset renoue avec le succès, confirmé l'année suivante par le bon accueil fait à *Il faut qu'une porte soit ouverte ou fermée*, et *Il ne faut jurer de rien*. L'Académie française, toutefois, repousse sa candidature, et il est révoqué de son poste de conservateur.

Il essuie encore d'autres échecs avant d'être finalement admis à l'Académie en 1852. Il n'a que 42 ans mais c'est un homme vieilli, détruit par l'alcool, rongé par le dégoût de lui-même, et qui s'exaspère de voir ses pièces encore repoussées sous le prétexte qu'elles ne sont plus « au goût du jour ». « Âme trop ardente pour se contenter du réel de la vie », selon Stendhal, il s'éteint le 2 mai 1857.

ON NE BADINE PAS AVEC L'AMOUR

PROVERBE

PERSONNAGES

LE BARON
PERDICAN, son fils.
MAÎTRE BLAZIUS, gouverneur de Perdican.
MAÎTRE BRIDAINE, curé.
CAMILLE, nièce du baron.
DAME PLUCHE, sa gouvernante.
ROSETTE, sœur de lait de Camille.
Paysans, valets, etc.

ACTE I

SCÈNE 1

Une place devant le château

LE CHŒUR

Doucement bercé sur sa mule fringante, messer Blazius s'avance dans les bluets fleuris, vêtu de neuf, l'écritoire au côté. Comme un poupon sur l'oreiller, il se ballotte sur son ventre rebondi, et les yeux à demi fermés, il marmotte un *Pater noster* dans son triple menton. Salut, maître Blazius ; vous arrivez au temps de la vendange, pareil à une amphore antique.

MAÎTRE BLAZIUS

Que ceux qui veulent apprendre une nouvelle d'importance, m'apportent ici premièrement un verre de vin frais.

LE CHŒUR

Voilà notre plus grande écuelle ; buvez, maître Blazius, le vin est bon ; vous parlerez après.

MAÎTRE BLAZIUS

Vous saurez, mes enfants, que le jeune Perdican, fils de notre seigneur, vient d'atteindre à sa majorité, et qu'il est reçu docteur à Paris. Il revient aujourd'hui même au château, la bouche toute pleine de façons de parler si belles et si fleuries, qu'on ne sait que lui répondre les trois quarts du temps. Toute sa gracieuse personne est un livre d'or; il ne voit pas un brin d'herbe à terre, qu'il ne vous dise comment cela s'appelle en latin; et quand il fait du vent ou qu'il pleut, il vous dit tout clairement pourquoi. Vous ouvririez des yeux grands comme la porte que voilà, de le voir dérouler un des parchemins qu'il a coloriés d'encres de toutes couleurs, de ses propres mains et sans en rien dire à personne. Enfin, c'est un diamant fin des pieds à la tête, et voilà ce que je viens annoncer à M. le baron. Vous sentez que cela me fait quelque honneur, à moi, qui suis son gouverneur depuis l'âge de quatre ans; ainsi donc, mes bons amis, apportez une chaise que je descende un peu de cette mule-ci sans me casser le cou; la bête est tant soit peu rétive, et je ne serais pas fâché de boire encore une gorgée avant d'entrer.

LE CHŒUR

Buvez, maître Blazius, et reprenez vos esprits. Nous avons vu naître le petit Perdican, et il n'était pas besoin, du moment qu'il arrive, de nous en dire si long. Puissions-nous retrouver l'enfant dans le cœur de l'homme!

MAÎTRE BLAZIUS

Ma foi, l'écuelle est vide; je ne croyais pas avoir tout bu. Adieu; j'ai préparé, en trottant sur la route, deux ou trois phrases sans prétention qui plairont à monseigneur; je vais tirer la cloche.

Il sort.

LE CHŒUR

Durement cahotée sur son âne essoufflé, dame Pluche gravit la colline; son écuyer transi gourdine à tour de bras le pauvre animal, qui hoche la tête, un chardon entre les dents. Ses longues jambes maigres trépignent de colère, tandis que, de ses mains osseuses, elle égratigne son chapelet. Bonjour donc, dame Pluche; vous arrivez comme la fièvre, avec le vent qui fait jaunir les bois.

DAME PLUCHE

Un verre d'eau, canaille que vous êtes; un verre d'eau et un peu de vinaigre.

LE CHŒUR

D'où venez-vous, Pluche, ma mie? vos faux cheveux sont couverts de poussière; voilà un toupet de gâté, et votre chaste robe est retroussée jusqu'à vos vénérables jarretières.

DAME PLUCHE

Sachez, manants, que la belle Camille, la nièce de votre maître, arrive aujourd'hui au château. Elle a quitté le couvent sur l'ordre exprès de monseigneur, pour venir en son temps et lieu recueillir, comme faire se doit, le bon bien qu'elle a de sa mère. Son éducation, Dieu merci, est terminée, et ceux qui la verront auront la joie de respirer une glorieuse fleur de sagesse et de dévotion. Jamais il n'y a rien eu de si pur, de si ange, de si agneau et de si colombe que cette chère nonnain; que le Seigneur Dieu du ciel la conduise! Ainsi soit-il. Rangez-vous, canaille; il me semble que j'ai les jambes enflées.

LE CHŒUR

Défripez-vous, honnête Pluche, et quand vous prierez Dieu, demandez de la pluie; nos blés sont secs comme vos tibias.

DAME PLUCHE

Vous m'avez apporté de l'eau dans une écuelle qui sent la cuisine; donnez-moi la main pour descendre; vous êtes des butors et des malappris.

Elle sort.

LE CHŒUR

Mettons nos habits du dimanche, et attendons que le baron nous fasse appeler. Ou je me trompe fort, ou quelque joyeuse bombance est dans l'air d'aujourd'hui.

Ils sortent.

SCÈNE 2

Le salon du baron
Entrent LE BARON, MAÎTRE BRIDAINE
et MAÎTRE BLAZIUS

LE BARON

Maître Bridaine, vous êtes mon ami ; je vous présente maître Blazius, gouverneur de mon fils. Mon fils a eu hier matin, à midi huit minutes, vingt et un ans comptés ; il est docteur à quatre boules blanches. Maître Blazius, je vous présente maître Bridaine, curé de la paroisse ; c'est mon ami.

MAÎTRE BLAZIUS, *saluant.*

À quatre boules blanches, seigneur, littérature, botanique, droit romain, droit canon.

LE BARON

Allez à votre chambre, cher Blazius, mon fils ne va pas tarder à paraître ; faites un peu de toilette, et revenez au coup de la cloche.

Maître Blazius sort.

MAÎTRE BRIDAINE

Vous dirai-je ma pensée, monseigneur ? le gouverneur de votre fils sent le vin à pleine bouche.

LE BARON

Cela est impossible.

MAÎTRE BRIDAINE

J'en suis sûr comme de ma vie ; il m'a parlé de fort près tout à l'heure ; il sentait le vin à faire peur.

LE BARON

Brisons là ; je vous répète que cela est impossible.

Entre dame Pluche.

Vous voilà, bonne dame Pluche ? Ma nièce est sans doute avec vous ?

DAME PLUCHE

Elle me suit, monseigneur, je l'ai devancée de quelques pas.

LE BARON

Maître Bridaine, vous êtes mon ami. Je vous présente la dame Pluche, gouvernante de ma nièce. Ma nièce est depuis hier, à sept heures de nuit, parvenue à l'âge de dix-huit ans. Elle sort du meilleur couvent de France. Dame Pluche, je vous présente maître Bridaine, curé de la paroisse ; c'est mon ami.

DAME PLUCHE, *saluant.*

Du meilleur couvent de France, seigneur, et je puis ajouter : la meilleure chrétienne du couvent.

LE BARON

Allez, dame Pluche, réparer le désordre où vous voilà ; ma nièce va bientôt venir, j'espère ; soyez prête à l'heure du dîner.

Dame Pluche sort.

MAÎTRE BRIDAINE

Cette vieille demoiselle paraît tout à fait pleine d'onction.

LE BARON

Pleine d'onction et de componction, maître Bridaine ; sa vertu est inattaquable.

MAÎTRE BRIDAINE

Mais le gouverneur sent le vin ; j'en ai la certitude.

LE BARON

Maître Bridaine ! Il y a des moments où je doute de votre amitié. Prenez-vous à tâche de me contredire ? Pas un mot de plus là-dessus. J'ai formé le dessein de marier mon fils avec ma nièce ; c'est un couple assorti ; leur éducation me coûte six mille écus.

MAÎTRE BRIDAINE

Il sera nécessaire d'obtenir des dispenses.

LE BARON

Je les ai, Bridaine ; elles sont sur ma table, dans mon cabinet. Ô mon ami, apprenez maintenant que je suis plein de joie. Vous savez que j'ai eu de tout temps la plus profonde horreur de la solitude. Cependant la place que j'occupe, et la gravité de mon habit, me forcent à rester dans ce château pendant trois mois d'hiver, et trois mois d'été. Il est impossible de faire le bonheur des hommes en général, et de ses vassaux en particulier, sans donner parfois à son valet de chambre l'ordre rigoureux de ne laisser entrer personne. Qu'il est austère et difficile, le recueillement de l'homme d'état ! et quel plaisir ne trouverai-je pas à tempérer, par la présence de mes deux enfants réunis, la sombre tristesse à laquelle je dois nécessairement être en proie depuis que le roi m'a nommé receveur !

MAÎTRE BRIDAINE

Ce mariage se fera-t-il ici, ou à Paris ?

LE BARON

Voilà où je vous attendais, Bridaine ; j'étais sûr de cette question. Eh bien ! mon ami, que diriez-vous si ces mains que voilà, oui, Bridaine, vos propres mains, ne les regardez pas d'une manière aussi piteuse, étaient destinées à bénir solennellement l'heureuse confirmation de mes rêves les plus chers ? Hé ?

MAÎTRE BRIDAINE

Je me tais ; la reconnaissance me ferme la bouche.

LE BARON

Regardez par cette fenêtre ; ne voyez-vous pas que mes gens se portent en foule à la grille ? Mes deux enfants arrivent en même temps ; voilà la combinaison la plus heureuse. J'ai disposé les choses de manière à tout prévoir. Ma nièce sera introduite par cette porte à gauche, et mon fils par cette porte à droite. Qu'en dites-vous ? Je me fais une fête de voir comment ils s'aborderont, ce qu'ils se diront ; six mille écus ne sont pas une bagatelle, il ne faut pas s'y tromper. Ces enfants s'aimaient d'ailleurs fort tendrement dès le berceau. — Bridaine, il me vient une idée.

MAÎTRE BRIDAINE

Laquelle ?

LE BARON

Pendant le dîner, sans avoir l'air d'y toucher, — vous comprenez, mon ami, — tout en vidant quelques coupes joyeuses, — vous savez le latin, Bridaine.

MAÎTRE BRIDAINE

Ita edepol : pardieu, si je le sais !

LE BARON

Je serais bien aise de vous voir entreprendre ce garçon, — discrètement, s'entend, — devant sa cousine ; cela ne peut produire qu'un bon effet ; — faites-le parler un peu latin, — non pas précisément pendant le dîner, — cela deviendrait fastidieux, et quant à moi, je n'y comprends rien ; — mais au dessert, — entendez-vous ?

MAÎTRE BRIDAINE

Si vous n'y comprenez rien, monseigneur, il est probable que votre nièce est dans le même cas.

LE BARON

Raison de plus ; ne voulez-vous pas qu'une femme admire ce qu'elle comprend ? D'où sortez-vous, Bridaine ? Voilà un raisonnement qui fait pitié.

MAÎTRE BRIDAINE

Je connais peu les femmes ; mais il me semble qu'il est difficile qu'on admire ce qu'on ne comprend pas.

LE BARON

Je les connais, Bridaine ; je connais ces êtres charmants et indéfinissables. Soyez persuadé qu'elles aiment à avoir de la poudre dans les yeux, et que plus on leur en jette, plus elles les écarquillent, afin d'en gober davantage.

Perdican entre d'un côté, Camille de l'autre.

Bonjour, mes enfants ; bonjour, ma chère Camille, mon cher Perdican ! embrassez-moi, et embrassez-vous.

PERDICAN

Bonjour, mon père, ma sœur bien-aimée ! Quel bonheur ! que je suis heureux !

CAMILLE

Mon père et mon cousin, je vous salue.

PERDICAN

Comme te voilà grande, Camille ! et belle comme le jour.

LE BARON

Quand as-tu quitté Paris, Perdican ?

PERDICAN

Mercredi, je crois, ou mardi. Comme te voilà métamorphosée en femme ! Je suis donc un homme, moi ! Il me semble que c'est hier que je t'ai vue pas plus haute que cela.

LE BARON

Vous devez être fatigués; la route est longue et il fait chaud.

PERDICAN

Oh! mon Dieu, non. Regardez donc, mon père, comme Camille est jolie!

LE BARON

Allons, Camille, embrasse ton cousin.

CAMILLE

Excusez-moi.

LE BARON

Un compliment vaut un baiser; embrasse-la, Perdican.

PERDICAN

Si ma cousine recule quand je lui tends la main, je vous dirai à mon tour : Excusez-moi; l'amour peut voler un baiser, mais non pas l'amitié.

CAMILLE

L'amitié ni l'amour ne doivent recevoir que ce qu'ils peuvent rendre.

LE BARON, *à maître Bridaine.*

Voilà un commencement de mauvais augure; hé?

MAÎTRE BRIDAINE, *au baron.*

Trop de pudeur est sans doute un défaut; mais le mariage lève bien des scrupules.

LE BARON, *à maître Bridaine.*

Je suis choqué, — blessé. — Cette réponse m'a déplu. — *Excusez-moi!* Avez-vous vu qu'elle a fait mine de se signer? — Venez ici, que je vous parle. — Cela m'est pénible au dernier point. Ce moment qui devait m'être si doux est complètement gâté. — Je suis vexé, — piqué. — Diable! voilà qui est fort mauvais.

MAÎTRE BRIDAINE

Dites-leur quelques mots; les voilà qui se tournent le dos.

LE BARON

Eh bien! mes enfants, à quoi pensez-vous donc? Que fais-tu là, Camille, devant cette tapisserie?

CAMILLE, *regardant un tableau.*

Voilà un beau portrait, mon oncle. N'est-ce pas une grand-tante à nous?

LE BARON

Oui, mon enfant, c'est ta bisaïeule, — ou du moins, — la sœur de ton bisaïeul, — car la chère dame n'a jamais concouru, — pour sa part, je crois, autrement qu'en prières, — à l'accroissement de la famille. — C'était, ma foi, une sainte femme.

CAMILLE

Oh! oui, une sainte! c'est ma grand-tante Isabelle. Comme ce costume religieux lui va bien!

LE BARON

Et toi, Perdican, que fais-tu là devant ce pot de fleurs?

PERDICAN

Voilà une fleur charmante, mon père. C'est un héliotrope.

LE BARON

Te moques-tu ? elle est grosse comme une mouche.

PERDICAN

Cette petite fleur grosse comme une mouche a bien son prix.

MAÎTRE BRIDAINE

Sans doute ! le docteur a raison ; demandez-lui à quel sexe, à quelle classe elle appartient ; de quels éléments elle se forme, d'où lui viennent sa sève et sa couleur ; il vous ravira en extase en vous détaillant les phénomènes de ce brin d'herbe, depuis la racine jusqu'à la fleur.

PERDICAN

Je n'en sais pas si long, mon révérend. Je trouve qu'elle sent bon, voilà tout.

SCÈNE 3

Devant le château

Entre LE CHŒUR.

Plusieurs choses me divertissent et excitent ma curiosité. Venez, mes amis, et asseyons-nous sous ce noyer. Deux formidables dîneurs sont en ce moment en présence au château, maître Bridaine et maître Blazius. N'avez-vous pas fait une remarque? c'est que lorsque deux hommes à peu près pareils, également gros, également sots, ayant les mêmes vices et les mêmes passions, viennent par hasard à se rencontrer, il faut nécessairement qu'ils s'adorent ou qu'ils s'exècrent. Par la raison que les contraires s'attirent, qu'un homme grand et desséché aimera un homme petit et rond, que les blonds recherchent les bruns, et réciproquement, je prévois une lutte secrète entre le gouverneur et le curé. Tous deux sont armés d'une égale impudence; tous deux ont pour ventre un tonneau; non seulement ils sont gloutons, mais ils sont gourmets; tous deux se disputeront à dîner, non seulement la quantité, mais la qualité. Si le poisson est petit, comment faire? et dans tous les cas une langue de carpe ne peut se partager, et une carpe ne peut avoir deux langues. *Item*, tous deux sont bavards; mais à la rigueur ils peuvent parler ensemble sans s'écouter ni l'un ni l'autre. Déjà maître Bridaine a voulu adresser au jeune Perdican plusieurs questions pédantes, et le gouverneur a froncé le sourcil. Il lui est désagréable qu'un autre que lui semble mettre son élève à l'épreuve. *Item*, ils sont aussi ignorants l'un que l'autre. *Item*, ils sont prêtres tous deux; l'un se targuera de sa cure, l'autre se rengorgera dans sa charge de gouverneur. Maître Blazius confesse le fils, et maître Bridaine le père. Déjà, je les vois accoudés sur la table, les joues enflammées, les yeux à fleur de tête, secouer pleins de haine leurs triples mentons. Ils se regardent de la tête aux pieds, ils préludent par de légères escarmouches; bientôt la guerre se déclare; les cuistreries de toute espèce se croisent et s'échangent; et, pour comble de malheur, entre les deux ivrognes s'agite dame Pluche, qui les repousse l'un et l'autre de ses coudes affilés.

Maintenant que voilà le dîner fini, on ouvre la grille du château. C'est la compagnie qui sort; retirons-nous à l'écart.

Ils sortent.
Entrent le baron et dame Pluche.

LE BARON

Vénérable Pluche, je suis peiné.

DAME PLUCHE

Est-il possible, monseigneur ?

LE BARON

Oui, Pluche, cela est possible. J'avais compté depuis longtemps, — j'avais même écrit, noté, — sur mes tablettes de poche, — que ce jour devait être le plus agréable de mes jours, — oui, bonne dame, le plus agréable. — Vous n'ignorez pas que mon dessein était de marier mon fils avec ma nièce ; — cela était résolu, — convenu, — j'en avais parlé à Bridaine, — et je vois, je crois voir, que ces enfants se parlent froidement ; ils ne se sont pas dit un mot.

DAME PLUCHE

Les voilà qui viennent, monseigneur. Sont-ils prévenus de vos projets ?

LE BARON

Je leur en ai touché quelques mots en particulier. Je crois qu'il serait bon, puisque les voilà réunis, de nous asseoir sous cet ombrage propice, et de les laisser ensemble un instant.

Il se retire avec dame Pluche.
Entrent Camille et Perdican.

PERDICAN

Sais-tu que cela n'a rien de beau, Camille, de m'avoir refusé un baiser ?

CAMILLE

Je suis comme cela ; c'est ma manière.

PERDICAN

Veux-tu mon bras, pour faire un tour dans le village ?

CAMILLE

Non, je suis lasse.

PERDICAN

Cela ne te ferait pas plaisir de revoir la prairie ? Te souviens-tu de nos parties sur le bateau ? Viens, nous descendrons jusqu'aux moulins ; je tiendrai les rames, et toi le gouvernail.

CAMILLE

Je n'en ai nulle envie.

PERDICAN

Tu me fends l'âme. Quoi ! pas un souvenir, Camille ? pas un battement de cœur pour notre enfance, pour tout ce pauvre temps passé, si bon, si doux, si plein de niaiseries délicieuses ? Tu ne veux pas venir voir le sentier par où nous allions à la ferme ?

CAMILLE

Non, pas ce soir.

PERDICAN

Pas ce soir ! et quand donc ? Toute notre vie est là.

CAMILLE

Je ne suis ni assez jeune pour m'amuser de mes poupées, ni assez vieille pour aimer le passé.

PERDICAN

Comment dis-tu cela ?

CAMILLE

Je dis que les souvenirs d'enfance ne sont pas de mon goût.

PERDICAN

Cela t'ennuie ?

CAMILLE

Oui, cela m'ennuie.

PERDICAN

Pauvre enfant ! Je te plains sincèrement.

Ils sortent chacun de leur côté.

LE BARON, *rentrant avec dame Pluche.*

Vous le voyez, et vous l'entendez, excellente Pluche ; je m'attendais à la plus suave harmonie, et il me semble assister à un concert où le violon joue *mon cœur soupire*, pendant que la flûte joue *vive Henri IV*. Songez à la discordance affreuse qu'une pareille combinaison produirait. Voilà pourtant ce qui se passe dans mon cœur.

DAME PLUCHE

Je l'avoue ; il m'est impossible de blâmer Camille, et rien n'est de plus mauvais ton, à mon sens, que les parties de bateau.

LE BARON

Parlez-vous sérieusement ?

DAME PLUCHE

Seigneur, une jeune fille qui se respecte ne se hasarde pas sur les pièces d'eau.

LE BARON

Mais observez donc, dame Pluche, que son cousin doit l'épouser, et que dès lors...

DAME PLUCHE

Les convenances défendent de tenir un gouvernail, et il est malséant de quitter la terre ferme seule avec un jeune homme.

LE BARON

Mais je répète... je vous dis...

DAME PLUCHE

C'est là mon opinion.

LE BARON

Êtes-vous folle ? En vérité, vous me feriez dire... Il y a certaines expressions... que je ne veux pas... qui me répugnent... Vous me donnez envie... En vérité, si je ne me retenais... Vous êtes une pécore, Pluche ! Je ne sais que penser de vous.

Il sort.

SCÈNE 4

Une place

LE CHŒUR, PERDICAN

PERDICAN

Bonjour, mes amis. Me reconnaissez-vous ?

LE CHŒUR

Seigneur, vous ressemblez à un enfant que nous avons beaucoup aimé.

PERDICAN

N'est-ce pas vous qui m'avez porté sur votre dos pour passer les ruisseaux de vos prairies, vous qui m'avez fait danser sur vos genoux, qui m'avez pris en croupe sur vos chevaux robustes, qui vous êtes serrés quelquefois autour de vos tables pour me faire une place au souper de la ferme ?

LE CHŒUR

Nous nous en souvenons, seigneur. Vous étiez bien le plus mauvais garnement et le meilleur garçon de la terre.

PERDICAN

Et pourquoi donc alors ne m'embrassez-vous pas, au lieu de me saluer comme un étranger ?

LE CHŒUR

Que Dieu te bénisse, enfant de nos entrailles ! chacun de nous voudrait te prendre dans ses bras ; mais nous sommes vieux, monseigneur, et vous êtes un homme.

PERDICAN

Oui, il y a dix ans que je ne vous ai vus, et en un jour tout change sous le soleil. Je me suis élevé de quelques pieds vers le ciel, et vous vous êtes courbés de quelques pouces vers le tombeau. Vos têtes ont blanchi, vos pas sont devenus plus lents ; vous ne pouvez plus soulever de terre votre enfant d'autrefois. C'est donc à moi d'être votre père, à vous qui avez été les miens.

LE CHŒUR

Votre retour est un jour plus heureux que votre naissance. Il est plus doux de retrouver ce qu'on aime, que d'embrasser un nouveau-né.

PERDICAN

Voilà donc ma chère vallée! mes noyers, me sentiers verts, ma petite fontaine; voilà mes jours passés encore tout pleins de vie, voilà le monde mystérieux des rêves de mon enfance! Ô patrie! patrie! mot incompréhensible! l'homme n'est-il donc né que pour un coin de terre, pour y bâtir son nid et pour y vivre un jour?

LE CHŒUR

On nous a dit que vous êtes un savant, monseigneur.

PERDICAN

Oui, on me l'a dit aussi. Les sciences sont une belle chose, mes enfants; ces arbres et ces prairies enseignent à haute voix la plus belle de toutes, l'oubli de ce qu'on sait.

LE CHŒUR

Il s'est fait plus d'un changement pendant votre absence. Il y a des filles mariées et des garçons partis pour l'armée.

PERDICAN

Vous me conterez tout cela. Je m'attends bien à du nouveau, mais en vérité je n'en veux pas encore. Comme ce lavoir est petit! autrefois il me paraissait immense; j'avais emporté dans ma tête un océan et des forêts, et je retrouve une goutte d'eau et des brins d'herbe. Quelle est donc cette jeune fille qui chante à sa croisée derrière ces arbres?

LE CHŒUR

C'est Rosette, la sœur de lait de votre cousine Camille.

PERDICAN, *s'avançant.*

Descends vite, Rosette, et viens ici.

ROSETTE, *entrant.*

Oui, monseigneur.

PERDICAN

Tu me voyais de ta fenêtre, et tu ne venais pas, méchante fille? Donne-moi vite cette main-là, et ces joues-là, que je t'embrasse.

ROSETTE

Oui, monseigneur.

PERDICAN

Es-tu mariée, petite? on m'a dit que tu l'étais.

ROSETTE

Oh! non.

PERDICAN

Pourquoi? Il n'y a pas dans le village de plus jolie fille que toi. Nous te marierons, mon enfant.

LE CHŒUR

Monseigneur, elle veut mourir fille.

PERDICAN

Est-ce vrai, Rosette ?

ROSETTE

Oh ! non.

PERDICAN

Ta sœur Camille est arrivée. L'as-tu vue ?

ROSETTE

Elle n'est pas encore venue par ici.

PERDICAN

Va-t'en vite mettre ta robe neuve, et viens souper au château.

SCÈNE 5

Une salle
Entrent LE BARON *et* MAÎTRE BLAZIUS

MAÎTRE BLAZIUS

Seigneur, j'ai un mot à vous dire ; le curé de la paroisse est un ivrogne.

LE BARON

Fi donc ! cela ne se peut pas.

MAÎTRE BLAZIUS

J'en suis certain; il a bu à dîner trois bouteilles de vin.

LE BARON

Cela est exorbitant.

MAÎTRE BLAZIUS

Et en sortant de table, il a marché sur les plates-bandes.

LE BARON

Sur les plates-bandes? — Je suis confondu. — Voilà qui est étrange! — Boire trois bouteilles de vin à dîner! marcher sur les plates-bandes? c'est incompréhensible. Et pourquoi ne marchait-il pas dans l'allée?

MAÎTRE BLAZIUS

Parce qu'il allait de travers.

LE BARON, *à part.*

Je commence à croire que Bridaine avait raison ce matin. Ce Blazius sent le vin d'une manière horrible.

MAÎTRE BLAZIUS

De plus, il a mangé beaucoup; sa parole était embarrassée.

LE BARON

Vraiment, je l'ai remarqué aussi.

MAÎTRE BLAZIUS

Il a lâché quelques mots latins; c'étaient autant de solécismes. Seigneur, c'est un homme dépravé.

LE BARON, *à part.*

Pouah! ce Blazius a une odeur qui est intolérable. — Apprenez, gouverneur, que j'ai bien autre chose en tête, et que je ne me mêle jamais de ce qu'on boit ni de ce qu'on mange. Je ne suis point un majordome.

MAÎTRE BLAZIUS

À Dieu ne plaise que je vous déplaise, monsieur le baron; votre vin est bon.

LE BARON

Il y a de bon vin dans mes caves.

MAÎTRE BRIDAINE, *entrant.*

Seigneur, votre fils est sur la place, suivi de tous les polissons du village.

LE BARON

Cela est impossible.

MAÎTRE BRIDAINE

Je l'ai vu de mes propres yeux. Il ramassait des cailloux pour faire des ricochets.

LE BARON

Des ricochets? ma tête s'égare; voilà mes idées qui se bouleversent. Vous me faites un rapport insensé, Bridaine. Il est inouï qu'un docteur fasse des ricochets.

MAÎTRE BRIDAINE

Mettez-vous à la fenêtre, monseigneur, vous le verrez de vos propres yeux.

LE BARON, *à part.*

Ô ciel ! Blazius a raison ; Bridaine va de travers.

MAÎTRE BRIDAINE

Regardez, monseigneur, le voilà au bord du lavoir. Il tient sous le bras une jeune paysanne.

LE BARON

Une jeune paysanne ? Mon fils vient-il ici pour débaucher mes vassales ? Une paysanne sous son bras ! et tous les gamins du village autour de lui ! Je me sens hors de moi.

MAÎTRE BRIDAINE

Cela crie vengeance.

LE BARON

Tout est perdu ! — perdu sans ressource ! — Je suis perdu : Bridaine va de travers, Blazius sent le vin à faire horreur, et mon fils séduit toutes les filles du village en faisant des ricochets.

Il sort.

ACTE II

SCÈNE 1

Un jardin
Entrent MAÎTRE BLAZIUS *et* PERDICAN

MAÎTRE BLAZIUS

Seigneur, votre père est au désespoir.

PERDICAN

Pourquoi cela ?

MAÎTRE BLAZIUS

Vous n'ignorez pas qu'il avait formé le projet de vous unir à votre cousine Camille ?

PERDICAN

Eh bien ? — Je ne demande pas mieux.

MAÎTRE BLAZIUS

Cependant le baron croit remarquer que vos caractères ne s'accordent pas.

PERDICAN

Cela est malheureux ; je ne puis refaire le mien.

MAÎTRE BLAZIUS

Rendrez-vous par là ce mariage impossible ?

PERDICAN

Je vous répète que je ne demande pas mieux que d'épouser Camille. Allez trouver le baron et dites-lui cela.

MAÎTRE BLAZIUS

Seigneur, je me retire : voilà votre cousine qui vient de ce côté.

Il sort.
Entre Camille.

PERDICAN

Déjà levée, cousine ? J'en suis toujours pour ce que je t'ai dit hier ; tu es jolie comme un cœur.

CAMILLE

Parlons sérieusement, Perdican ; votre père veut nous marier. Je ne sais ce que vous en pensez ; mais je crois bien faire en vous prévenant que mon parti est pris là-dessus.

PERDICAN

Tant pis pour moi si je vous déplais.

CAMILLE

Pas plus qu'un autre ; je ne veux pas me marier : il n'y a rien là dont votre orgueil doive souffrir.

PERDICAN

L'orgueil n'est pas mon fait; je n'en estime ni les joies ni les peines.

CAMILLE

Je suis venue ici pour recueillir le bien de ma mère; je retourne demain au couvent.

PERDICAN

Il y a de la franchise dans ta démarche; touche là, et soyons bons amis.

CAMILLE

Je n'aime pas les attouchements.

PERDICAN, *lui prenant la main.*

Donne-moi ta main, Camille, je t'en prie. Que crains-tu de moi? Tu ne veux pas qu'on nous marie? Eh bien! ne nous marions pas; est-ce une raison pour nous haïr? ne sommes-nous pas le frère et la sœur? Lorsque ta mère a ordonné ce mariage dans son testament, elle a voulu que notre amitié fût éternelle, voilà tout ce qu'elle a voulu; pourquoi nous marier? voilà ta main et voilà la mienne; et pour qu'elles restent unies ainsi jusqu'au dernier soupir, crois-tu qu'il nous faille un prêtre? Nous n'avons besoin que de Dieu.

CAMILLE

Je suis bien aise que mon refus vous soit indifférent.

PERDICAN

Il ne m'est point indifférent, Camille. Ton amour m'eût donné la vie, mais ton amitié m'en consolera. Ne quitte pas le château demain; hier, tu as refusé de faire un tour de jardin, parce que tu voyais en moi un mari dont tu ne voulais pas. Reste ici quelques jours ; laisse-moi espérer que notre vie passée n'est pas morte à jamais dans ton cœur.

CAMILLE

Je suis obligée de partir.

PERDICAN

Pourquoi ?

CAMILLE

C'est mon secret.

PERDICAN

En aimes-tu un autre que moi ?

CAMILLE

Non ; mais je veux partir.

PERDICAN

Irrévocablement ?

CAMILLE

Oui, irrévocablement.

PERDICAN

Eh bien ! adieu. J'aurais voulu m'asseoir avec toi sous les marronniers du petit bois, et causer de bonne amitié une heure ou deux. Mais si cela te déplaît, n'en parlons plus ; adieu, mon enfant.

Il sort.

CAMILLE, *à dame Pluche qui entre.*

Dame Pluche, tout est-il prêt? Partirons-nous demain? Mon tuteur a-t-il fini ses comptes?

DAME PLUCHE

Oui, chère colombe sans tache. Le baron m'a traitée de pécore hier soir, et je suis enchantée de partir.

CAMILLE

Tenez; voilà un mot d'écrit que vous porterez avant dîner, de ma part, à mon cousin Perdican.

DAME PLUCHE

Seigneur, mon Dieu! est-ce possible? Vous écrivez un billet à un homme?

CAMILLE

Ne dois-je pas être sa femme? Je puis bien écrire à mon fiancé.

DAME PLUCHE

Le seigneur Perdican sort d'ici. Que pouvez-vous lui écrire? Votre fiancé, miséricorde! Serait-il vrai que vous oubliez Jésus?

CAMILLE

Faites ce que je vous dis, et disposez tout pour notre départ.

Elles sortent.

SCÈNE 2

La salle à manger — On met le couvert

Entre MAÎTRE BRIDAINE.

Cela est certain, on lui donnera encore aujourd'hui la place d'honneur. Cette chaise que j'ai occupée si longtemps à la droite du baron sera la proie du gouverneur. Ô malheureux que je suis ! Un âne bâté, un ivrogne sans pudeur, me relègue au bas bout de la table ! Le majordome lui versera le premier verre de Malaga, et lorsque les plats arriveront à moi, ils seront à moitié froids et les meilleurs morceaux déjà avalés ; il ne restera plus autour des perdreaux ni choux ni carottes. Ô sainte église catholique ! Qu'on lui ait donné cette place hier, cela se concevait ; il venait d'arriver ; c'était la première fois, depuis nombre d'années, qu'il s'asseyait à cette table. Dieu ! comme il dévorait ! Non, rien ne me restera que des os et des pattes de poulet. Je ne souffrirai pas cet affront. Adieu, vénérable fauteuil où je me suis renversé tant de fois, gorgé de mets succulents ! Adieu, bouteilles cachetées, fumet sans pareil de venaisons cuites à point ! Adieu, table splendide, noble salle à manger, je ne dirai plus le *bénédicité* ! Je retourne à ma cure ; on ne me verra pas confondu parmi la foule des convives, et j'aime mieux, comme César, être le premier au village que le second dans Rome.

Il sort.

SCÈNE 3

Un champ devant une petite maison
Entrent ROSETTE *et* PERDICAN

PERDICAN

Puisque ta mère n'y est pas, viens faire un tour de promenade.

ROSETTE

Croyez-vous que cela me fasse du bien, tous ces baisers que vous me donnez ?

PERDICAN

Quel mal y trouves-tu ? Je t'embrasserais devant ta mère. N'es-tu pas la sœur de Camille ? ne suis-je pas ton frère comme je suis le sien ?

ROSETTE

Des mots sont des mots, et des baisers sont des baisers. Je n'ai guère d'esprit, et je m'en aperçois bien sitôt que je veux dire quelque chose. Les belles dames savent leur affaire, selon qu'on leur baise la main droite ou la main gauche ; leurs pères les embrassent sur le front, leurs frères sur la joue, leurs amoureux sur les lèvres ; moi, tout le monde m'embrasse sur les deux joues, et cela me chagrine.

PERDICAN

Que tu es jolie, mon enfant !

ROSETTE

Il ne faut pas non plus vous fâcher pour cela. Comme vous paraissez triste ce matin ! Votre mariage est donc manqué ?

PERDICAN

Les paysans de ton village se souviennent de m'avoir aimé ; les chiens de la basse-cour et les arbres du bois s'en souviennent aussi ; mais Camille ne s'en souvient pas. Et toi, Rosette, à quand le mariage ?

ROSETTE

Ne parlons pas de cela, voulez-vous ? Parlons du temps qu'il fait, de ces fleurs que voilà, de vos chevaux et de mes bonnets.

PERDICAN

De tout ce qui te plaira, de tout ce qui peut passer sur tes lèvres sans leur ôter ce sourire céleste que je respecte plus que ma vie.

Il l'embrasse.

ROSETTE

Vous respectez mon sourire, mais vous ne respectez guère mes lèvres, à ce qu'il me semble. Regardez donc; voilà une goutte de pluie qui me tombe sur la main, et cependant le ciel est pur.

PERDICAN

Pardonne-moi.

ROSETTE

Que vous ai-je fait pour que vous pleuriez?

Ils sortent.

SCÈNE 4

Au château
Entrent MAÎTRE BLAZIUS *et* LE BARON

MAÎTRE BLAZIUS

Seigneur, j'ai une chose singulière à vous dire. Tout à l'heure, j'étais par hasard dans l'office, je veux dire dans la galerie; qu'aurais-je été faire dans l'office? J'étais donc dans la galerie. J'avais trouvé par accident une bouteille, je veux dire une carafe d'eau; comment aurais-je trouvé une bouteille dans la galerie? J'étais donc en train de boire un coup de vin pour passer le temps, et je regardais par la fenêtre, entre deux vases de fleurs qui me paraissaient d'un goût moderne, bien qu'ils soient imités de l'étrusque.

LE BARON

Quelle insupportable manière de parler vous avez adoptée, Blazius! vos discours sont inexplicables.

MAÎTRE BLAZIUS

Écoutez-moi, seigneur, prêtez-moi un moment d'attention. Je regardais donc par la fenêtre. Ne vous impatientez pas, au nom du ciel, il y va de l'honneur de la famille.

LE BARON

De la famille! voilà qui est incompréhensible. De l'honneur de la famille, Blazius! Blazius! Savez-vous que nous sommes trente-sept mâles, et presque autant de femmes, tant à Paris qu'en province?

MAÎTRE BLAZIUS

Permettez-moi de continuer. Tandis que je buvais un coup de vin, je veux dire un verre d'eau, pour chasser la digestion tardive, imaginez que j'ai vu passer sous la fenêtre dame Pluche hors d'haleine.

LE BARON

Pourquoi hors d'haleine, Blazius? ceci est insolite.

MAÎTRE BLAZIUS

Et à côté d'elle, rouge de colère, votre nièce Camille.

LE BARON

Qui était rouge de colère, ma nièce, ou dame Pluche?

MAÎTRE BLAZIUS

Votre nièce, seigneur.

LE BARON

Ma nièce rouge de colère! Cela est inouï; et comment savez-vous que c'était de colère? Elle pouvait être rouge pour mille raisons; elle avait sans doute poursuivi quelques papillons dans mon parterre.

MAÎTRE BLAZIUS

Je ne puis rien affirmer là-dessus, cela se peut; mais elle s'écriait avec force: Allez-y! trouvez-le! faites ce qu'on vous dit! vous êtes une sotte! je le veux! et elle frappait avec son éventail sur le coude de dame Pluche, qui faisait un soubresaut dans la luzerne à chaque exclamation.

LE BARON

Dans la luzerne! et que répondait la gouvernante aux extravagances de ma nièce? car cette conduite mérite d'être qualifiée ainsi.

MAÎTRE BLAZIUS

La gouvernante répondait: Je ne veux pas y aller! Je ne l'ai pas trouvé! Il fait la cour aux filles du village, à des gardeuses de dindons! Je suis trop vieille pour commencer à porter des messages d'amour; grâce à Dieu, j'ai vécu les mains pures jusqu'ici. — Et tout en parlant, elle froissait dans ses mains un petit papier plié en quatre.

LE BARON

Je n'y comprends rien; mes idées s'embrouillent tout à fait. Quelle raison pouvait avoir dame Pluche pour froisser un papier plié en quatre en faisant des soubresauts dans une luzerne! Je ne puis ajouter foi à de pareilles monstruosités.

MAÎTRE BLAZIUS

Ne comprenez-vous pas clairement, seigneur, ce que cela signifiait?

LE BARON

Non, en vérité, non, mon ami, je n'y comprends absolument rien. Tout cela me paraît une conduite désordonnée, il est vrai, mais sans motif comme sans excuse.

MAÎTRE BLAZIUS

Cela veut dire que votre nièce a une correspondance secrète.

LE BARON

Que dites-vous? Songez-vous de qui vous parlez? Pesez vos paroles, monsieur l'abbé.

MAÎTRE BLAZIUS

Je les pèserais dans la balance céleste qui doit peser mon âme au jugement dernier, que je n'y trouverais pas un mot qui sente la fausse monnaie. Votre nièce a une correspondance secrète.

LE BARON

Mais songez donc, mon ami, que cela est impossible.

MAÎTRE BLAZIUS

Pourquoi aurait-elle chargé sa gouvernante d'une lettre ? Pourquoi aurait-elle crié : *Trouvez-le !* tandis que l'autre boudait et rechignait ?

LE BARON

Et à qui était adressée cette lettre ?

MAÎTRE BLAZIUS

Voilà précisément le *hic*, monseigneur, *hic jacet lepus*. À qui était adressée cette lettre ? à un homme qui fait la cour à une gardeuse de dindons. Or, un homme qui recherche en public une gardeuse de dindons peut être soupçonné violemment d'être né pour les garder lui-même. Cependant il est impossible que votre nièce, avec l'éducation qu'elle a reçue, soit éprise d'un pareil homme ; voilà ce que je dis, et ce qui fait que je n'y comprends rien non plus que vous, révérence parler.

LE BARON

Ô ciel ! ma nièce m'a déclaré ce matin même qu'elle refusait son cousin Perdican. Aimerait-elle un gardeur de dindons ? Passons dans mon cabinet ; j'ai éprouvé depuis hier des secousses si violentes, que je ne puis rassembler mes idées.

Ils sortent.

SCÈNE 5

Une fontaine dans un bois

Entre PERDICAN, *lisant un billet.*

« Trouvez-vous à midi à la petite fontaine... » Que veut dire cela ? tant de froideur, un refus si positif, si cruel, un orgueil si insensible, et un rendez-vous par-dessus tout? Si c'est pour me parler d'affaires, pourquoi choisir un pareil endroit? Est-ce une coquetterie? Ce matin, en me promenant avec Rosette, j'ai entendu remuer dans les broussailles, et il m'a semblé que c'était un pas de biche. Y a-t-il ici quelque intrigue?

Entre Camille.

CAMILLE

Bonjour, cousin; j'ai cru m'apercevoir, à tort ou à raison, que vous me quittiez tristement ce matin. Vous m'avez pris la main malgré moi, je viens vous demander de me donner la vôtre. Je vous ai refusé un baiser, le voilà.

Elle l'embrasse.

Maintenant, vous m'avez dit que vous seriez bien aise de causer de bonne amitié. Asseyez-vous là, et causons.

Elle s'assoit.

PERDICAN

Avais-je fait un rêve, ou en fais-je un autre en ce moment?

CAMILLE

Vous avez trouvé singulier de recevoir un billet de moi, n'est-ce pas? Je suis d'humeur changeante; mais vous m'avez dit ce matin un mot très juste: « Puisque nous nous quittons, quittons-nous bons amis. » Vous ne savez pas la raison pour laquelle je pars, et je viens vous la dire : je vais prendre le voile.

PERDICAN

Est-ce possible? Est-ce toi, Camille, que je vois dans cette fontaine, assise sur les marguerites, comme aux jours d'autrefois?

CAMILLE

Oui, Perdican, c'est moi. Je viens revivre un quart d'heure de la vie passée. Je vous ai paru brusque et hautaine; cela est tout simple, j'ai renoncé au monde. Cependant, avant de le quitter, je serais bien aise d'avoir votre avis. Trouvez-vous que j'aie raison de me faire religieuse?

PERDICAN

Ne m'interrogez pas là-dessus, car je ne me ferai jamais moine.

CAMILLE

Depuis près de dix ans que nous avons vécu éloignés l'un de l'autre, vous avez commencé l'expérience de la vie. Je sais quel homme vous êtes, et vous devez avoir appris beaucoup en peu de temps avec un cœur et un esprit comme les vôtres. Dites-moi, avez-vous eu des maîtresses?

PERDICAN

Pourquoi cela?

CAMILLE

Répondez-moi, je vous en prie, sans modestie et sans fatuité.

PERDICAN

J'en ai eu.

CAMILLE

Les avez-vous aimées?

PERDICAN

De tout mon cœur.

CAMILLE

Où sont-elles maintenant ? Le savez-vous ?

PERDICAN

Voilà, en vérité, des questions singulières. Que voulez-vous que je vous dise ? Je ne suis ni leur mari ni leur frère ; elles sont allées où bon leur a semblé.

CAMILLE

Il doit nécessairement y en avoir une que vous ayez préférée aux autres. Combien de temps avez-vous aimé celle que vous avez aimée le mieux ?

PERDICAN

Tu es une drôle de fille ; veux-tu te faire mon confesseur ?

CAMILLE

C'est une grâce que je vous demande, de me répondre sincèrement. Vous n'êtes point un libertin, et je crois que votre cœur a de la probité. Vous avez dû inspirer l'amour, car vous le méritez, et vous ne vous seriez pas livré à un caprice. Répondez-moi, je vous en prie.

PERDICAN

Ma foi, je ne m'en souviens pas.

CAMILLE

Connaissez-vous un homme qui n'ait aimé qu'une femme ?

PERDICAN

Il y en a certainement.

CAMILLE

Est-ce un de vos amis ? Dites-moi son nom.

PERDICAN

Je n'ai pas de nom à vous dire ; mais je crois qu'il y a des hommes capables de n'aimer qu'une fois.

CAMILLE

Combien de fois un honnête homme peut-il aimer ?

PERDICAN

Veux-tu me faire réciter une litanie, ou récites-tu toi-même un catéchisme ?

CAMILLE

Je voudrais m'instruire, et savoir si j'ai tort ou raison de me faire religieuse. Si je vous épousais, ne devriez-vous pas répondre avec franchise à toutes mes questions, et me montrer votre cœur à nu ? Je vous estime beaucoup, et je vous crois, par votre éducation et par votre nature, supérieur à beaucoup d'autres hommes. Je suis fâchée que vous ne vous souveniez plus de ce que je vous demande ; peut-être en vous connaissant mieux je m'enhardirais.

PERDICAN

Où veux-tu en venir ? parle ; je répondrai.

CAMILLE

Répondez donc à ma première question. Ai-je raison de rester au couvent ?

PERDICAN

Non.

CAMILLE

Je ferais donc mieux de vous épouser ?

PERDICAN

Oui.

CAMILLE

Si le curé de votre paroisse soufflait sur un verre d'eau, et vous disait que c'est un verre de vin, le boiriez-vous comme tel ?

PERDICAN

Non.

CAMILLE

Si le curé de votre paroisse soufflait sur vous, et me disait que vous m'aimerez toute votre vie, aurais-je raison de le croire.

PERDICAN

Oui et non.

CAMILLE

Que me conseilleriez-vous de faire, le jour où je verrais que vous ne m'aimez plus ?

PERDICAN

De prendre un amant.

CAMILLE

Que ferai-je ensuite, le jour où mon amant ne m'aimera plus ?

PERDICAN

Tu en prendras un autre.

CAMILLE

Combien de temps cela durera-t-il ?

PERDICAN

Jusqu'à ce que tes cheveux soient gris, et alors les miens seront blancs.

CAMILLE

Savez-vous ce que c'est que les cloîtres, Perdican ? Vous êtes-vous jamais assis un jour entier sur le banc d'un monastère de femmes ?

PERDICAN

Oui, je m'y suis assis.

CAMILLE

J'ai pour amie une sœur qui n'a que trente ans, et qui a eu cinq cent mille livres de revenu à l'âge de quinze ans. C'est la plus belle et la plus noble créature qui ait marché sur terre. Elle était pairesse du parlement, et avait pour mari un des hommes les plus distingués de France. Aucune des nobles facultés humaines n'était restée sans culture en elle, et, comme un arbrisseau d'une sève choisie, tous ses bourgeons avaient donné des ramures. Jamais l'amour et le bonheur ne poseront leur couronne fleurie sur un front plus beau ; son mari l'a trompée ; elle a aimé un autre homme, et elle se meurt de désespoir.

PERDICAN

Cela est possible.

CAMILLE

Nous habitons la même cellule, et j'ai passé des nuits entières à parler de ses malheurs; ils sont presque devenus les miens; cela est singulier, n'est-ce pas? Je ne sais trop comment cela se fait. Quand elle me parlait de son mariage, quand elle me peignait d'abord l'ivresse des premiers jours, puis la tranquillité des autres, et comme enfin tout s'était envolé; comme elle était assise le soir au coin du feu, et lui auprès de la fenêtre, sans se dire un seul mot, comme leur amour avait langui, et comme tous les efforts pour se rapprocher n'aboutissaient qu'à des querelles; comme une figure étrangère est venue peu à peu se placer entre eux et se glisser dans leurs souffrances, c'était moi que je voyais agir tandis qu'elle parlait. Quand elle disait : Là j'ai été heureuse, mon cœur bondissait; et quand elle ajoutait : Là j'ai pleuré, mes larmes coulaient. Mais figurez-vous quelque chose de plus singulier encore; j'avais fini par me créer une vie imaginaire; cela a duré quatre ans; il est inutile de vous dire par combien de réflexions, de retours sur moi-même, tout cela est venu. Ce que je voulais vous raconter, comme une curiosité, c'est que tous les récits de Louise, toutes les fictions de mes rêves portaient votre ressemblance.

PERDICAN

Ma ressemblance, à moi?

CAMILLE

Oui, et cela est naturel : vous étiez le seul homme que j'eusse connu. En vérité, je vous ai aimé, Perdican.

PERDICAN

Quel âge as-tu, Camille?

CAMILLE

Dix-huit ans.

PERDICAN

Continue, continue ; j'écoute.

CAMILLE

Il y a deux cents femmes dans notre couvent ; un petit nombre de ces femmes ne connaîtra jamais la vie, et tout le reste attend la mort. Plus d'une parmi elles sont sorties du monastère comme j'en sors aujourd'hui, vierges et pleines d'espérances. Elles sont revenues peu de temps après, vieilles et désolées. Tous les jours il en meurt dans nos dortoirs, et tous les jours il en vient de nouvelles prendre la place des mortes sur les matelas de crin. Les étrangers qui nous visitent admirent le calme et l'ordre de la maison ; ils regardent attentivement la blancheur de nos voiles ; mais ils se demandent pourquoi nous les rabaissons sur nos yeux. Que pensez-vous de ces femmes, Perdican ? Ont-elles tort, ou ont-elles raison ?

PERDICAN

Je n'en sais rien.

CAMILLE

Il s'en est trouvé quelques-unes qui me conseillent de rester vierge. Je suis bien aise de vous consulter. Croyez-vous que ces femmes-là auraient mieux fait de prendre un amant et de me conseiller d'en faire autant ?

PERDICAN

Je n'en sais rien.

CAMILLE

Vous aviez promis de me répondre.

PERDICAN

J'en suis dispensé tout naturellement; je ne crois pas que ce soit toi qui parles.

CAMILLE

Cela se peut, il doit y avoir dans toutes mes idées des choses très ridicules. Il se peut bien qu'on m'ait fait la leçon, et que je ne sois qu'un perroquet mal appris. Il y a dans la galerie un petit tableau qui représente un moine courbé sur un missel; à travers les barreaux obscurs de sa cellule glisse un faible rayon de soleil, et on aperçoit une locanda italienne devant laquelle danse un chevrier. Lequel de ces deux hommes estimez-vous davantage?

PERDICAN

Ni l'un ni l'autre et tous les deux. Ce sont deux hommes de chair et d'os; il y en a un qui lit, et un autre qui danse; je n'y vois pas autre chose. Tu as raison de te faire religieuse.

CAMILLE

Vous me disiez non tout à l'heure.

PERDICAN

Ai-je dit non? Cela est possible.

CAMILLE

Ainsi vous me le conseillez?

PERDICAN

Ainsi tu ne crois à rien?

CAMILLE

Lève la tête, Perdican : quel est l'homme qui ne croit à rien ?

PERDICAN, *se levant.*

En voilà un ; je ne crois pas à la vie immortelle. — Ma sœur chérie, les religieuses t'ont donné leur expérience ; mais, crois-moi, ce n'est pas la tienne ; tu ne mourras pas sans aimer.

CAMILLE

Je veux aimer, mais je ne veux pas souffrir ; je veux aimer d'un amour éternel, et faire des serments qui ne se violent pas. Voilà mon amant.

Elle montre son crucifix.

PERDICAN

Cet amant-là n'exclut pas les autres.

CAMILLE

Pour moi, du moins, il les exclura. Ne souriez pas, Perdican ! Il y a dix ans que je ne vous ai vu, et je pars demain. Dans dix autres années, si nous nous revoyons, nous en reparlerons. J'ai voulu ne pas rester dans votre souvenir comme une froide statue ; car l'insensibilité mène au point où j'en suis. Écoutez-moi : retournez à la vie, et tant que vous serez heureux, tant que vous aimerez comme on peut aimer sur la terre, oubliez votre sœur Camille ; mais s'il vous arrive jamais d'être oublié ou d'oublier vous-même, si l'ange de l'espérance vous abandonne, lorsque vous serez seul avec le vide dans le cœur, pensez à moi qui prierai pour vous.

PERDICAN

Tu es une orgueilleuse ; prends garde à toi.

CAMILLE

Pourquoi ?

PERDICAN

Tu as dix-huit ans, et tu ne crois pas à l'amour !

CAMILLE

Y croyez-vous, vous qui parlez ? Vous voilà courbé près de moi avec des genoux qui se sont usés sur les tapis de vos maîtresses, et vous n'en savez plus le nom. Vous avez pleuré des larmes de joie et des larmes de désespoir ; mais vous saviez que l'eau des sources est plus constante que vos larmes, et qu'elle serait toujours là pour laver vos paupières gonflées. Vous faites votre métier de jeune homme, et vous souriez quand on vous parle de femmes désolées ; vous ne croyez pas qu'on puisse mourir d'amour, vous qui vivez et qui avez aimé. Qu'est-ce donc que le monde ? Il me semble que vous devez cordialement mépriser les femmes qui vous prennent tels que vous êtes, et qui chassent leur dernier amant pour vous attirer dans leurs bras avec les baisers d'un autre sur les lèvres. Je vous demandais tout à l'heure si vous aviez aimé ; vous m'avez répondu comme un voyageur à qui l'on demanderait s'il a été en Italie ou en Allemagne, et qui dirait : Oui, j'y ai été ; puis qui penserait à aller en Suisse, ou dans le premier pays venu. Est-ce donc une monnaie que votre amour, pour qu'il puisse passer ainsi de main en main jusqu'à la mort ? Non, ce n'est pas même une monnaie ; car la plus mince pièce d'or vaut mieux que vous, et dans quelque main qu'elle passe, elle garde son effigie.

PERDICAN

Que tu es belle, Camille, lorsque tes yeux s'animent !

CAMILLE

Oui, je suis belle, je le sais. Les complimenteurs ne m'apprendront rien : la froide nonne qui coupera mes cheveux pâlira peut-être de sa mutilation; mais ils ne se changeront pas en bagues et en chaînes pour courir les boudoirs; il n'en manquera pas un seul sur ma tête, lorsque le fer y passera; je ne veux qu'un coup de ciseau, et quand le prêtre qui me bénira me mettra au doigt l'anneau d'or de mon époux céleste, la mèche de cheveux que je lui donnerai pourra lui servir de manteau.

PERDICAN

Tu es en colère, en vérité.

CAMILLE

J'ai eu tort de parler; j'ai ma vie entière sur les lèvres. Ô Perdican ! ne raillez pas; tout cela est triste à mourir.

PERDICAN

Pauvre enfant, je te laisse dire, et j'ai bien envie de te répondre un mot. Tu me parles d'une religieuse qui me paraît avoir eu sur toi une influence funeste; tu dis qu'elle a été trompée, qu'elle a trompé elle-même, et qu'elle est désespérée. Es-tu sûre que si son mari ou son amant revenait lui tendre la main à travers la grille du parloir, elle ne lui tendrait pas la sienne ?

CAMILLE

Qu'est-ce que vous dites ? J'ai mal entendu.

PERDICAN

Es-tu sûre que si son mari ou son amant revenait lui dire de souffrir encore, elle répondrait non ?

CAMILLE

Je le crois, je le crois.

PERDICAN

Il y a deux cents femmes dans ton monastère, et la plupart ont au fond du cœur des blessures profondes; elles te les ont fait toucher, et elles ont coloré ta pensée virginale des gouttes de leur sang. Elles ont vécu, n'est-ce pas? et elles t'ont montré avec horreur la route de leur vie; tu t'es signée devant leurs cicatrices, comme devant les plaies de Jésus; elles t'ont fait une place dans leurs processions lugubres, et tu te serres contre ces corps décharnés avec une crainte religieuse, lorsque tu vois passer un homme. Es-tu sûre que si l'homme qui passe était celui qui les a trompées, celui pour qui elles pleurent et elles souffrent, celui qu'elles maudissent en priant Dieu, es-tu sûre qu'en le voyant, elles ne briseraient pas leurs chaînes pour courir à leurs malheurs passés, et pour presser leurs poitrines sanglantes sur le poignard qui les a meurtries? Ô mon enfant! sais-tu les rêves de ces femmes, qui te disent de ne pas rêver? Sais-tu quel nom elles murmurent quand les sanglots qui sortent de leurs lèvres font trembler l'hostie qu'on leur présente? Elles qui s'assoient près de toi avec leurs têtes branlantes pour verser dans ton oreille leur vieillesse flétrie, elles qui sonnent dans les ruines de ta jeunesse le tocsin de leur désespoir, et qui font sentir à ton sang vermeil la fraîcheur de leurs tombes, sais-tu qui elles sont?

CAMILLE

Vous me faites peur; la colère vous prend aussi.

PERDICAN

Sais-tu ce que c'est que des nonnes, malheureuse fille? Elles qui te représentent l'amour des hommes comme un mensonge, savent-elles qu'il y a pis encore, le mensonge de l'amour divin ? Savent-elles que c'est un crime qu'elles font de venir chuchoter à une vierge des paroles de femme ? Ah ! comme elles t'ont fait la leçon ! Comme j'avais prévu tout cela quand tu t'es arrêtée devant le portrait de notre vieille tante ! Tu voulais partir sans me serrer la main ; tu ne voulais revoir ni ce bois ni cette pauvre petite fontaine, qui nous regarde tout en larmes ; tu reniais les jours de ton enfance, et le masque de plâtre que les nonnes t'ont plaqué sur les joues me refusait un baiser de frère ; mais ton cœur a battu, il a oublié sa leçon, lui qui ne sait pas lire, et tu es revenue t'asseoir sur l'herbe où nous voilà. Eh bien ! Camille, ces femmes ont bien parlé ; elles t'ont mise dans le vrai chemin ; il pourra m'en coûter le bonheur de ma vie ; mais dis-leur cela de ma part : le ciel n'est pas pour elles.

CAMILLE

Ni pour moi, n'est-ce pas ?

PERDICAN

Adieu, Camille, retourne à ton couvent, et lorsqu'on te fera de ces récits hideux qui t'ont empoisonnée, réponds ce que je vais te dire : Tous les hommes sont menteurs, inconstants, faux, bavards, hypocrites, orgueilleux et lâches, méprisables et sensuels ; toutes les femmes sont perfides, artificieuses, vaniteuses, curieuses et dépravées ; le monde n'est qu'un égout sans fond où les phoques les plus informes rampent et se tordent sur des montagnes de fange ; mais il y a au monde une chose sainte et sublime, c'est l'union de deux de ces êtres si imparfaits et si affreux. On est souvent trompé en amour, souvent blessé et souvent malheureux ; mais on aime, et quand on est sur le bord de sa tombe, on se retourne pour regarder en arrière, et on se dit : J'ai souffert souvent, je me suis trompé quelquefois ; mais j'ai aimé. C'est moi qui ai vécu, et non pas un être factice créé par mon orgueil et mon ennui.

Il sort.

ACTE III

SCÈNE 1

Devant le château
Entrent LE BARON *et* MAÎTRE BLAZIUS

LE BARON

Indépendamment de votre ivrognerie, vous êtes un bélître, maître Blazius. Mes valets vous voient entrer furtivement dans l'office, et quand vous êtes convaincu d'avoir volé mes bouteilles de la manière la plus pitoyable, vous croyez vous justifier en accusant ma nièce d'une correspondance secrète.

MAÎTRE BLAZIUS

Mais, monseigneur, veuillez vous rappeler...

LE BARON

Sortez, monsieur l'abbé, et ne reparaissez jamais devant moi ; il est déraisonnable d'agir comme vous faites, et ma gravité m'oblige à ne vous pardonner de ma vie.

Il sort ; maître Blazius le suit.

Entre Perdican.

PERDICAN

Je voudrais bien savoir si je suis amoureux. D'un côté, cette manière d'interroger est tant soit peu cavalière, pour une fille de dix-huit ans; d'un autre, les idées que ces nonnes lui ont fourrées dans la tête auront de la peine à se corriger. De plus, elle doit partir aujourd'hui. Diable! je l'aime, cela est sûr. Après tout, qui sait? peut-être elle répétait une leçon, et d'ailleurs il est clair qu'elle ne se soucie pas de moi. D'une autre part, elle a beau être jolie, cela n'empêche pas qu'elle n'ait des manières beaucoup trop décidées et un ton trop brusque. Je n'ai qu'à n'y plus penser; il est clair que je ne l'aime pas. Cela est certain qu'elle est jolie; mais pourquoi cette conversation d'hier ne veut-elle pas me sortir de la tête? En vérité, j'ai passé la nuit à radoter. Où vais-je donc? — Ah! je vais au village.

Il sort.

SCÈNE 2

Un chemin

Entre MAÎTRE BRIDAINE.

Que font-ils maintenant? Hélas! voilà midi. — Ils sont à table. Que mangent-ils? que ne mangent-ils pas? J'ai vu la cuisinière traverser le village, avec un énorme dindon. L'aide portait les truffes, avec un panier de raisin.

Entre maître Blazius

MAÎTRE BLAZIUS

Ô disgrâce imprévue ! me voilà chassé du château, par conséquent de la salle à manger. Je ne boirai plus le vin de l'office.

MAÎTRE BRIDAINE

Je ne verrai plus fumer les plats ; je ne chaufferai plus au feu de la noble cheminée mon ventre copieux.

MAÎTRE BLAZIUS

Pourquoi une fatale curiosité m'a-t-elle poussé à écouter le dialogue de dame Pluche et de la nièce ? Pourquoi ai-je rapporté au baron ce que j'avais vu ?

MAÎTRE BRIDAINE

Pourquoi un vain orgueil m'a-t-il éloigné de ce dîner honorable où j'étais si bien accueilli ? Que m'importait d'être à droite ou à gauche ?

MAÎTRE BLAZIUS

Hélas ! j'étais gris, il faut en convenir, lorsque j'ai fait cette folie.

MAÎTRE BRIDAINE

Hélas ! le vin m'avait monté la tête quand j'ai commis cette imprudence.

MAÎTRE BLAZIUS

Il me semble que voilà le curé.

MAÎTRE BRIDAINE

C'est le gouverneur en personne.

MAÎTRE BLAZIUS

Oh ! oh ! monsieur le curé, que faites-vous là ?

MAÎTRE BRIDAINE

Moi ! je vais dîner. N'y venez-vous pas ?

MAÎTRE BLAZIUS

Pas aujourd'hui. Hélas ! maître Bridaine, intercédez pour moi ; le baron m'a chassé. J'ai accusé faussement Mlle Camille d'avoir une correspondance secrète, et cependant Dieu m'est témoin que j'ai vu, ou que j'ai cru voir dame Pluche dans la luzerne. Je suis perdu, monsieur le curé.

MAÎTRE BRIDAINE

Que m'apprenez-vous là ?

MAÎTRE BLAZIUS

Hélas ! hélas ! la vérité ! Je suis en disgrâce complète pour avoir volé une bouteille.

MAÎTRE BRIDAINE

Que parlez-vous, messire, de bouteilles volées à propos d'une luzerne et d'une correspondance ?

MAÎTRE BLAZIUS

Je vous supplie de plaider ma cause. Je suis honnête, seigneur Bridaine. Ô digne seigneur Bridaine, je suis votre serviteur.

MAÎTRE BRIDAINE, *à part.*

Ô fortune ! est-ce un rêve ? Je serai donc assis sur toi, ô chaise bienheureuse !

MAÎTRE BLAZIUS

Je vous serai reconnaissant d'écouter mon histoire, et de vouloir bien m'excuser, brave seigneur, cher curé.

MAÎTRE BRIDAINE

Cela m'est impossible, monsieur, il est midi sonné, et je m'en vais dîner. Si le baron se plaint de vous, c'est votre affaire. Je n'intercède point pour un ivrogne.

À part.

Vite, volons à la grille; et toi, mon ventre, arrondis-toi.

Il sort en courant.

MAÎTRE BLAZIUS, *seul.*

Misérable Pluche! c'est toi qui paieras pour tous; oui, c'est toi qui es la cause de ma ruine, femme éhontée, vile entremetteuse. C'est à toi que je dois cette disgrâce; ô sainte université de Paris! on me traite d'ivrogne! Je suis perdu si je ne saisis une lettre, et si je ne prouve au baron que sa nièce a une correspondance. Je l'ai vue ce matin écrire à son bureau. Patience! voici du nouveau.

Passe dame Pluche portant une lettre.

Pluche, donnez-moi cette lettre.

DAME PLUCHE

Que signifie cela? C'est une lettre de ma maîtresse que je vais mettre à la poste au village.

MAÎTRE BLAZIUS

Donnez-la-moi, ou vous êtes morte.

DAME PLUCHE

Moi, morte ! morte ! Marie, Jésus, vierge et martyr.

MAÎTRE BLAZIUS

Oui, morte, Pluche ; donnez-moi ce papier.

Ils se battent ; entre Perdican.

PERDICAN

Qu'y a-t-il ? Que faites-vous, Blazius ? Pourquoi violenter cette femme ?

DAME PLUCHE

Rendez-moi la lettre. Il me l'a prise, seigneur, justice !

MAÎTRE BLAZIUS

C'est une entremetteuse, seigneur, cette lettre est un billet doux.

DAME PLUCHE

C'est une lettre de Camille, seigneur, de votre fiancée.

MAÎTRE BLAZIUS

C'est un billet doux à un gardeur de dindons.

DAME PLUCHE

Tu en as menti, abbé. Apprends cela de moi.

PERDICAN

Donnez-moi cette lettre ; je ne comprends rien à votre dispute ; mais en qualité de fiancé de Camille, je m'arroge le droit de la lire.

Il lit.

« À la sœur Louise, au couvent de ***. »

À part.

Quelle maudite curiosité me saisit malgré moi ? Mon cœur bat avec force, et je ne sais ce que j'éprouve. — Retirez-vous, dame Pluche, vous êtes une digne femme, et maître Blazius est un sot. Allez dîner ; je me charge de mettre cette lettre à la poste.

Sortent maître Blazius et dame Pluche.

PERDICAN, *seul.*

Que ce soit un crime d'ouvrir une lettre, je le sais trop bien pour le faire. Que peut dire Camille à cette sœur ? Suis-je donc amoureux ? Quel empire a donc pris sur moi cette singulière fille, pour que les trois mots écrits sur cette adresse me fassent trembler la main ? Cela est singulier ; Blazius, en se débattant avec dame Pluche, a fait sauter le cachet. Est-ce un crime de rompre le pli ? Bon, je n'y changerai rien.

Il ouvre la lettre et lit.

« Je pars aujourd'hui, ma chère, et tout est arrivé comme je l'avais prévu. C'est une terrible chose ; mais ce pauvre jeune homme a le poignard dans le cœur, il ne se consolera pas de m'avoir perdue. Cependant j'ai fait tout au monde pour le dégoûter de moi. Dieu me pardonnera de l'avoir réduit au désespoir par mon refus. Hélas ! ma chère, que pouvais-je y faire ? Priez pour moi ; nous nous reverrons demain, et pour toujours. Toute à vous du meilleur de mon âme.

CAMILLE. »

Est-il possible ? Camille écrit cela ! C'est de moi qu'elle parle ainsi ! Moi au désespoir de son refus ! Eh ! bon Dieu ! si cela était vrai, on le verrait bien ; quelle honte peut-il y avoir à aimer ? Elle a fait tout au monde pour me dégoûter, dit-elle, et j'ai le poignard dans le cœur ? Quel intérêt peut-elle avoir à inventer un roman pareil ? Cette pensée que j'avais cette nuit est-elle donc vraie ? Ô femmes ! Cette pauvre Camille a peut-être une grande piété ; c'est de bon cœur qu'elle se donne à Dieu, mais elle a résolu et décrété qu'elle me laisserait au désespoir. Cela était convenu entre les bonnes amies, avant de partir du couvent. On a décidé que Camille allait revoir son cousin, qu'on le lui voudrait faire épouser, qu'elle refuserait, et que le cousin serait désolé. Cela est si intéressant, une jeune fille qui fait à Dieu le sacrifice du bonheur d'un cousin ! Non, non, Camille, je ne t'aime pas ; je ne suis pas au désespoir. Je n'ai pas le poignard dans le cœur, et je te le prouverai. Oui, tu sauras que j'en aime une autre, avant que de partir d'ici. Holà ! brave homme !

Entre un paysan.

Allez au château, dites à la cuisine qu'on envoie un valet porter à Mlle Camille le billet que voici.

Il écrit.

LE PAYSAN

Oui, monseigneur.

Il sort.

PERDICAN

Maintenant, à l'autre. Ah! je suis au désespoir! Holà! Rosette! Rosette!

Il frappe à une porte.

ROSETTE, *ouvrant.*

C'est vous, monseigneur? Entrez, ma mère y est.

PERDICAN

Mets ton plus beau bonnet, Rosette, et viens avec moi.

ROSETTE

Où donc?

PERDICAN

Je te le dirai; demande la permission à ta mère, mais dépêche-toi.

ROSETTE

Oui, monseigneur.

Elle rentre dans la maison.

PERDICAN

J'ai demandé un nouveau rendez-vous à Camille, et je suis sûr qu'elle y viendra; mais, par le ciel! elle n'y trouvera pas ce qu'elle y comptera trouver. Je veux faire la cour à Rosette, devant Camille elle-même.

SCÈNE 3

Le petit bois
Entrent CAMILLE *et* LE PAYSAN

LE PAYSAN

Mademoiselle, je vais au château porter une lettre pour vous ; faut-il que je vous la donne, ou que je la remette à la cuisine, comme me l'a dit le seigneur Perdican ?

CAMILLE

Donne-la-moi.

LE PAYSAN

Si vous aimez mieux que je la porte au château, ce n'est pas la peine de m'attarder.

CAMILLE

Je te dis de me la donner.

LE PAYSAN

Ce qui vous plaira.

Il donne la lettre.

CAMILLE

Tiens, voilà pour ta peine.

LE PAYSAN

Grand merci ; je m'en vais, n'est-ce pas ?

CAMILLE

Si tu veux.

LE PAYSAN

Je m'en vais, je m'en vais.

Il sort.

CAMILLE, *lisant.*

Perdican me demande de lui dire adieu avant de partir, près de la petite fontaine où je l'ai fait venir hier. Que peut-il avoir à me dire ? Voilà justement la fontaine, et je suis toute portée. Dois-je accorder ce second rendez-vous ? Ah !

Elle se cache derrière un arbre.

Voilà Perdican qui approche avec Rosette, ma sœur de lait. Je suppose qu'il va la quitter ; je suis bien aise de ne pas avoir l'air d'arriver la première.

Entrent Perdican et Rosette, qui s'assoient.

CAMILLE, *cachée, à part.*

Que veut dire cela ? Il la fait asseoir près de lui ! Me demande-t-il un rendez-vous pour y venir causer avec une autre ? Je suis curieuse de savoir ce qu'il lui dit.

PERDICAN, *à haute voix, de manière que Camille l'entend.*

Je t'aime, Rosette ; toi seule au monde tu n'as rien oublié de nos beaux jours passés, toi seule tu te souviens de la vie qui n'est plus ; prends ta part de ma vie nouvelle ; donne-moi ton cœur, chère enfant ; voilà le gage de notre amour.

Il lui pose sa chaîne sur le cou.

ROSETTE

Vous me donnez votre chaîne d'or ?

PERDICAN

Regarde à présent cette bague. Lève-toi, et approchons-nous de cette fontaine. Nous vois-tu tous les deux, dans la source, appuyés l'un sur l'autre ? Vois-tu tes beaux yeux près des miens, ta main dans la mienne ? Regarde tout cela s'effacer.

Il jette sa bague dans l'eau.

Regarde comme notre image a disparu ; la voilà qui revient peu à peu ; l'eau qui s'était troublée reprend son équilibre ; elle tremble encore ; de grands cercles noirs courent à sa surface ; patience, nous reparaissons ; déjà je distingue de nouveau tes bras enlacés dans les miens ; encore une minute, et il n'y aura plus une ride sur ton joli visage ; regarde ! c'était une bague que m'avait donnée Camille.

CAMILLE, *à part.*

Il a jeté ma bague dans l'eau.

PERDICAN

Sais-tu ce que c'est que l'amour, Rosette ? Écoute ! le vent se tait ; la pluie du matin roule en perles sur les feuilles séchées que le soleil ranime. Par la lumière du ciel, par le soleil que voilà, je t'aime. Tu veux bien de moi, n'est-ce pas ? On n'a pas flétri ta jeunesse ? on n'a pas infiltré dans ton sang vermeil les restes d'un sang affadi ? Tu ne veux pas te faire religieuse ; te voilà jeune et belle dans les bras d'un jeune homme ; ô Rosette, Rosette, sais-tu ce que c'est que l'amour ?

ROSETTE

Hélas ! monsieur le docteur, je vous aimerai comme je pourrai.

PERDICAN

Oui, comme tu pourras; et tu m'aimeras mieux, tout docteur que je suis, et toute paysanne que tu es, que ces pâles statues fabriquées par les nonnes, qui ont la tête à la place du cœur, et qui sortent des cloîtres pour venir répandre dans la vie l'atmosphère humide de leurs cellules; tu ne sais rien; tu ne lirais pas dans un livre la prière que ta mère t'apprend, comme elle l'a apprise de sa mère; tu ne comprends même pas le sens des paroles que tu répètes, quand tu t'agenouilles au pied de ton lit; mais tu comprends bien que tu pries, et c'est tout ce qu'il faut à Dieu.

ROSETTE

Comme vous me parlez, monseigneur.

PERDICAN

Tu ne sais pas lire; mais tu sais ce que disent ces bois et ces prairies, ces tièdes rivières, ces beaux champs couverts de moissons, toute cette nature splendide de jeunesse. Tu reconnais tous ces milliers de frères, et moi pour l'un d'entre eux; lève-toi; tu seras ma femme, et nous prendrons racine ensemble dans la sève du monde tout-puissant.

Il sort avec Rosette.

SCÈNE 4

Entre LE CHŒUR

Il se passe assurément quelque chose d'étrange au château; Camille a refusé d'épouser Perdican; elle doit retourner aujourd'hui au couvent dont elle est venue. Mais je crois que le seigneur son cousin s'est consolé avec Rosette. Hélas! la pauvre fille ne sait pas quel danger elle court, en écoutant les discours d'un jeune et galant seigneur.

DAME PLUCHE, *entrant.*

Vite, vite, qu'on selle mon âne.

LE CHŒUR

Passerez-vous comme un songe léger, ô vénérable dame? Allez-vous si promptement enfourcher derechef cette pauvre bête qui est si triste de vous porter?

DAME PLUCHE

Dieu merci, chère canaille, je ne mourrai pas ici.

LE CHŒUR

Mourez au loin, Pluche, ma mie; mourez inconnue dans un caveau malsain. Nous ferons des vœux pour votre respectable résurrection.

DAME PLUCHE

Voici ma maîtresse qui s'avance.

À Camille qui entre.

Chère Camille, tout est prêt pour notre départ; le baron a rendu ses comptes, et mon âne est bâté.

CAMILLE

Allez au diable, vous et votre âne; je ne partirai pas aujourd'hui.

Elle sort.

LE CHŒUR

Que veut dire ceci ? Dame Pluche est pâle de terreur ; ses faux cheveux tentent de se hérisser, sa poitrine siffle avec force, et ses doigts s'allongent en se crispant.

DAME PLUCHE

Seigneur Jésus ! Camille a juré.

Elle sort.

SCÈNE 4

Entrent LE BARON *et* MAÎTRE BRIDAINE

MAÎTRE BRIDAINE

Seigneur, il faut que je vous parle en particulier. Votre fils fait la cour à une fille du village.

LE BARON

C'est absurde, mon ami.

MAÎTRE BRIDAINE

Je l'ai vu distinctement passer dans la bruyère en lui donnant le bras ; il se penchait à son oreille, et lui promettait de l'épouser.

LE BARON

Cela est monstrueux.

MAÎTRE BRIDAINE

Soyez-en convaincu ; il lui a fait un présent considérable que la petite a montré à sa mère.

LE BARON

Ô ciel ! considérable, Bridaine ? En quoi considérable ?

MAÎTRE BRIDAINE

Pour le poids et pour la conséquence. C'est la chaîne d'or qu'il portait à son bonnet.

LE BARON

Passons dans mon cabinet ; je ne sais à quoi m'en tenir.

Ils sortent.

SCÈNE 5

La chambre de Camille
Entrent CAMILLE *et* DAME PLUCHE

CAMILLE

Il a pris ma lettre, dites-vous ?

DAME PLUCHE

Oui, mon enfant, il s'est chargé de la mettre à la poste.

CAMILLE

Allez au salon, dame Pluche, et faites-moi le plaisir de dire à Perdican que je l'attends ici.

Dame Pluche sort.

Il a lu ma lettre, cela est certain ; sa scène du bois est une vengeance, comme son amour pour Rosette. Il a voulu me prouver qu'il en aimait une autre que moi, et jouer l'indifférent malgré son dépit. Est-ce qu'il m'aimerait, par hasard ?

Elle lève la tapisserie.

Es-tu là, Rosette ?

ROSETTE, *entrant.*

Oui ; puis-je entrer ?

CAMILLE

Écoute-moi, mon enfant ; le seigneur Perdican ne te fait-il pas la cour ?

ROSETTE

Hélas ! oui.

CAMILLE

Que penses-tu de ce qu'il t'a dit ce matin ?

ROSETTE

Ce matin ? Où donc ?

CAMILLE

Ne fais pas l'hypocrite. — Ce matin, à la fontaine, dans le petit bois.

ROSETTE

Vous m'avez donc vue ?

CAMILLE

Pauvre innocente ! Non, je ne t'ai pas vue. Il t'a fait de beaux discours, n'est-ce pas ? Gageons qu'il t'a promis de t'épouser.

ROSETTE

Comment le savez-vous ?

CAMILLE

Qu'importe comment je le sais ? Crois-tu à ses promesses, Rosette ?

ROSETTE

Comment n'y croirais-je pas ? il me tromperait donc ? Pourquoi faire ?

CAMILLE

Perdican ne t'épousera pas, mon enfant.

ROSETTE

Hélas ! je n'en sais rien.

CAMILLE

Tu l'aimes, pauvre fille ; il ne t'épousera pas, et la preuve, je vais te la donner ; rentre derrière ce rideau, tu n'auras qu'à prêter l'oreille et à venir quand je t'appellerai.

Rosette sort.

CAMILLE, *seule.*

Moi qui croyais faire un acte de vengeance, ferais-je un acte d'humanité ? La pauvre fille a le cœur pris.

Entre Perdican.

Bonjour, cousin, asseyez-vous.

PERDICAN

Quelle toilette, Camille ! À qui en voulez-vous ?

CAMILLE

À vous, peut-être ; je suis fâchée de n'avoir pu me rendre au rendez-vous que vous m'avez demandé ; vous aviez quelque chose à me dire ?

PERDICAN, *à part.*

Voilà, sur ma vie, un petit mensonge assez gros, pour un agneau sans tache ; je l'ai vue derrière un arbre écouter la conversation.

Haut.

Je n'ai rien à vous dire, qu'un adieu, Camille ; je croyais que vous partiez ; cependant votre cheval est à l'écurie, et vous n'avez pas l'air d'être en robe de voyage.

CAMILLE

J'aime la discussion ; je ne suis pas bien sûre de ne pas avoir eu envie de me quereller encore avec vous.

PERDICAN

À quoi sert de se quereller, quand le raccommodement est impossible ? Le plaisir des disputes, c'est de faire la paix.

CAMILLE

Êtes-vous convaincu que je ne veuille pas la faire ?

PERDICAN

Ne raillez pas ; je ne suis pas de force à vous répondre.

CAMILLE

Je voudrais qu'on me fît la cour; je ne sais si c'est que j'ai une robe neuve, mais j'ai envie de m'amuser. Vous m'avez proposé d'aller au village, allons-y, je veux bien; mettons-nous en bateau; j'ai envie d'aller dîner sur l'herbe, ou de faire une promenade dans la forêt. Fera-t-il clair de lune, ce soir? Cela est singulier; vous n'avez plus au doigt la bague que je vous ai donnée.

PERDICAN

Je l'ai perdue.

CAMILLE

C'est donc pour cela que je l'ai trouvée; tenez, Perdican, la voilà.

PERDICAN

Est-ce possible? Où l'avez-vous trouvée?

CAMILLE

Vous regardez si mes mains sont mouillées, n'est-ce pas? En vérité, j'ai gâté ma robe de couvent pour retirer ce petit hochet d'enfant de la fontaine. Voilà pourquoi j'en ai mis une autre, et je vous dis, cela m'a changée; mettez donc cela à votre doigt.

PERDICAN

Tu as retiré cette bague de l'eau, Camille, au risque de te précipiter? Est-ce un songe? La voilà; c'est toi qui me la mets au doigt! Ah! Camille, pourquoi me le rends-tu, ce triste gage d'un bonheur qui n'est plus? Parle, coquette et imprudente fille, pourquoi pars-tu, pourquoi restes-tu? Pourquoi, d'une heure à l'autre, changes-tu d'apparence et de couleur, comme la pierre de cette bague à chaque rayon du soleil !

CAMILLE

Connaissez-vous le cœur des femmes, Perdican ? Êtes-vous sûr de leur inconstance, et savez-vous si elles changent réellement de pensée en changeant quelquefois de langage ? Il y en a qui disent que non. Sans doute, il nous faut souvent jouer un rôle, souvent mentir ; vous voyez que je suis franche ; mais êtes-vous sûr que tout mente dans une femme, lorsque sa langue ment ? Avez-vous bien réfléchi à la nature de cet être faible et violent, à la rigueur avec laquelle on le juge, aux principes qu'on lui impose ? Et qui sait si, forcée à tromper par le monde, la tête de ce petit être sans cervelle ne peut pas y prendre plaisir, et mentir quelquefois par passe-temps, par folie, comme elle ment par nécessité ?

PERDICAN

Je n'entends rien à tout cela, et je ne mens jamais. Je t'aime, Camille, voilà tout ce que je sais.

CAMILLE

Vous dites que vous m'aimez, et vous ne mentez jamais ?

PERDICAN

Jamais.

CAMILLE

En voilà une qui dit pourtant que cela vous arrive quelquefois.

Elle lève la tapisserie. Rosette

paraît dans le fond, évanouie sur une chaise.

Que répondrez-vous à cette enfant, Perdican, lorsqu'elle vous demandera compte de vos paroles ? Si vous ne mentez jamais, d'où vient donc qu'elle s'est évanouie en vous entendant me dire que vous m'aimez ? Je vous laisse avec elle ; tâchez de la faire revenir.

Elle veut sortir.

PERDICAN

Un instant, Camille, écoute-moi.

CAMILLE

Que voulez-vous me dire ? c'est à Rosette qu'il faut parler. Je ne vous aime pas, moi ; je n'ai pas été chercher par dépit cette malheureuse enfant au fond de sa chaumière, pour en faire un appât, un jouet ; je n'ai pas répété imprudemment devant elle des paroles brûlantes adressées à une autre ; je n'ai pas feint de jeter au vent pour elle le souvenir d'une amitié chérie ; je ne lui ai pas mis ma chaîne au cou ; je ne lui ai pas dit que je l'épouserais.

PERDICAN

Écoute-moi, écoute-moi !

CAMILLE

N'as-tu pas souri tout à l'heure quand je t'ai dit que je n'avais pu aller à la fontaine ? Eh bien ! oui, j'y étais, et j'ai tout entendu ; mais, Dieu m'en est témoin, je ne voudrais pas y avoir parlé comme toi. Que feras-tu de cette fille-là, maintenant, quand elle viendra, avec tes baisers ardents sur les lèvres, te montrer en pleurant la blessure que tu lui as faite ? Tu as voulu te venger de moi, n'est-ce pas, et me punir d'une lettre écrite à mon couvent ? Tu as voulu me lancer à tout prix quelque trait qui pût m'atteindre, et tu comptais pour rien que ta flèche empoisonnée traversât cette enfant, pourvu qu'elle me frappât derrière elle. Je m'étais vantée de t'avoir inspiré quelque amour, de te laisser quelque regret. Cela t'a blessé dans ton noble orgueil ? Eh bien ! apprends-le de moi, tu m'aimes, entends-tu, mais tu épouseras cette fille, ou tu n'es qu'un lâche.

PERDICAN

Oui, je l'épouserai.

CAMILLE

Et tu feras bien.

PERDICAN

Très bien, et beaucoup mieux qu'en t'épousant toi-même. Qu'y a-t-il, Camille ? Qui t'échauffe si fort ? Cette enfant s'est évanouie ; nous la ferons bien revenir ; il ne faut pour cela qu'un flacon de vinaigre ; tu as voulu me prouver que j'avais menti une fois dans ma vie ; cela est possible, mais je te trouve hardie de décider à quel instant. Viens, aide-moi à secourir Rosette.

Ils sortent.

SCÈNE 6

Entrent LE BARON *et* CAMILLE

LE BARON

Si cela se fait, je deviendrai fou.

CAMILLE

Employez votre autorité.

LE BARON

Je deviendrai fou, et je refuserai mon consentement, voilà qui est certain.

CAMILLE

Vous devriez lui parler, et lui faire entendre raison.

LE BARON

Cela me jettera dans le désespoir pour tout le carnaval, et je ne paraîtrai pas une fois à la cour. C'est un mariage disproportionné. Jamais on n'a entendu parler d'épouser la sœur de lait de sa cousine ; cela passe toute espèce de bornes.

CAMILLE

Faites-le appeler, et dites-lui nettement que ce mariage vous déplaît. Croyez-moi, c'est une folie, et il ne résistera pas.

LE BARON

Je serai vêtu de noir cet hiver, tenez-le pour assuré.

CAMILLE

Mais parlez-lui, au nom du ciel. C'est un coup de tête qu'il a fait ; peut-être n'est-il déjà plus temps ; s'il en a parlé, il le fera.

LE BARON

Je vais m'enfermer pour m'abandonner à la douleur. Dites-lui, s'il me demande, que je suis enfermé, et que je m'abandonne à ma douleur de le voir épouser une fille sans nom.

Il sort.

CAMILLE

Ne trouverai-je pas ici un homme de cœur? En vérité, quand on en cherche, on est effrayé de sa solitude.

Entre Perdican.

Eh bien! cousin, à quand le mariage?

PERDICAN

Le plus tôt possible; j'ai déjà parlé au notaire, au curé, et à tous les paysans.

CAMILLE

Vous comptez donc réellement que vous épouserez Rosette?

PERDICAN

Assurément.

CAMILLE

Qu'en dira votre père?

PERDICAN

Tout ce qu'il voudra; il me plaît d'épouser cette fille; c'est une idée que je vous dois, et je m'y tiens. Faut-il vous répéter les lieux communs les plus rebattus sur sa naissance et sur la mienne? Elle est jeune et jolie, et elle m'aime. C'est plus qu'il n'en faut pour être trois fois heureux. Qu'elle ait de l'esprit ou qu'elle n'en ait pas, j'aurais pu trouver pire. On criera et on raillera; je m'en lave les mains.

CAMILLE

Il n'y a rien là de risible; vous faites très bien de l'épouser. Mais je suis fâchée pour vous d'une chose : c'est qu'on dira que vous l'avez fait par dépit.

PERDICAN

Vous êtes fâchée de cela? Oh! que non!

CAMILLE

Si, j'en suis vraiment fâchée pour vous. Cela fait du tort à un jeune homme, de ne pouvoir résister à un moment de dépit.

PERDICAN

Soyez-en donc fâchée; quant à moi, cela m'est bien égal.

CAMILLE

Mais vous n'y pensez pas; c'est une fille de rien.

PERDICAN

Elle sera donc de quelque chose, lorsqu'elle sera ma femme.

CAMILLE

Elle vous ennuiera avant que le notaire ait mis son habit neuf et ses souliers pour venir ici; le cœur vous lèvera au repas de noces, et le soir de la fête, vous lui ferez couper les mains et les pieds, comme dans les contes arabes, parce qu'elle sentira le ragoût.

PERDICAN

Vous verrez que non. Vous ne me connaissez pas; quand une femme est douce et sensible, franche, bonne et belle, je suis capable de me contenter de cela, oui, en vérité, jusqu'à ne pas me soucier de savoir si elle parle latin.

CAMILLE

Il est à regretter qu'on ait dépensé tant d'argent pour vous l'apprendre; c'est trois mille écus de perdus.

PERDICAN

Oui, on aurait mieux fait de les donner aux pauvres.

CAMILLE

Ce sera vous qui vous en chargerez, du moins pour les pauvres d'esprit.

PERDICAN

Et ils me donneront en échange le royaume des cieux, car il est à eux.

CAMILLE

Combien de temps durera cette plaisanterie?

PERDICAN

Quelle plaisanterie?

CAMILLE

Votre mariage avec Rosette.

PERDICAN

Bien peu de temps; Dieu n'a pas fait de l'homme une œuvre de durée : trente ou quarante ans, tout au plus.

CAMILLE

Je suis curieuse de danser à vos noces.

PERDICAN

Écoutez-moi, Camille, voilà un ton de persiflage qui est hors de propos.

CAMILLE

Il me plaît trop pour que je le quitte.

PERDICAN

Je vous quitte donc vous-même, car j'en ai tout à l'heure assez.

CAMILLE

Allez-vous chez votre épousée ?

PERDICAN

Oui, j'y vais de ce pas.

CAMILLE

Donnez-moi donc le bras ; j'y vais aussi.

Entre Rosette.

PERDICAN

Te voilà, mon enfant ? Viens, je veux te présenter à mon père.

ROSETTE, *se mettant à genoux.*

Monseigneur, je viens vous demander une grâce. Tous les gens du village à qui j'ai parlé ce matin, m'ont dit que vous aimiez votre cousine, et que vous ne m'avez fait la cour que pour vous divertir tous deux; on se moque de moi quand je passe, et je ne pourrai plus trouver de mari dans le pays, après avoir servi de risée à tout le monde. Permettez-moi de vous rendre le collier que vous m'avez donné, et de vivre en paix chez ma mère.

CAMILLE

Tu es une bonne fille, Rosette; garde ce collier, c'est moi qui te le donne, et mon cousin prendra le mien à la place. Quant à un mari, n'en sois pas embarrassée, je me charge de t'en trouver un.

PERDICAN

Cela n'est pas difficile, en effet. Allons, Rosette, viens, que je te mène à mon père.

CAMILLE

Pourquoi ? Cela est inutile.

PERDICAN

Oui, vous avez raison, mon père nous recevrait mal; il faut laisser passer le premier moment de surprise qu'il a éprouvée. Viens avec moi, nous retournerons sur la place. Je trouve plaisant qu'on dise que je ne t'aime pas quand je t'épouse. Pardieu ! nous les ferons bien taire.

Il sort avec Rosette.

CAMILLE

Que se passe-t-il donc en moi ? Il l'emmène d'un air bien tranquille. Cela est singulier; il me semble que la tête me tourne. Est-ce qu'il l'épouserait tout de bon ? Holà ! dame Pluche, dame Pluche ! N'y a-t-il donc personne ici ?

Entre un valet.

Courez après le seigneur Perdican; dites-lui vite qu'il remonte ici; j'ai à lui parler.

Le valet sort.

Mais qu'est-ce donc que tout cela? Je n'en puis plus, mes pieds refusent de me soutenir.

Rentre Perdican.

PERDICAN

Vous m'avez demandé, Camille?

CAMILLE

Non, — non. —

PERDICAN

En vérité, vous voilà pâle; qu'avez-vous à me dire? Vous m'avez fait rappeler pour me parler.

CAMILLE

Non, non. — Oh! Seigneur Dieu!

Elle sort.

SCÈNE 7

Un oratoire

Entre CAMILLE*; elle se jette au pied de l'autel.*

M'avez-vous abandonnée, ô mon Dieu? Vous le savez, lorsque je suis venue, j'avais juré de vous être fidèle; quand j'ai refusé de devenir l'épouse d'un autre que vous, j'ai cru parler sincèrement, devant vous et ma conscience ; vous le savez ; mon père, ne voulez-vous donc plus de moi ? Oh ! pourquoi faites-vous mentir la vérité elle-même ? Pourquoi suis-je si faible ? Ah, malheureuse, je ne puis plus prier.

Entre Perdican.

PERDICAN

Orgueil, le plus fatal des conseillers humains, qu'es-tu venu faire entre cette fille et moi ? La voilà pâle et effrayée, qui presse sur les dalles insensibles son cœur et son visage. Elle aurait pu m'aimer, et nous étions nés l'un pour l'autre ; qu'es-tu venu faire sur nos lèvres, orgueil, lorsque nos mains allaient se joindre ?

CAMILLE

Qui m'a suivie ? Qui parle sous cette voûte ? Est-ce toi, Perdican ?

PERDICAN

Insensés que nous sommes ! nous nous aimons. Quel songe avons-nous fait, Camille ? Quelles vaines paroles, quelles misérables folies ont passé comme un vent funeste entre nous deux ? Lequel de nous a voulu tromper l'autre ? Hélas ! cette vie est elle-même un si pénible rêve ; pourquoi encore y mêler les nôtres ? Ô mon Dieu, le bonheur est une perle si rare dans cet océan d'ici-bas ! Tu nous l'avais donné, pêcheur céleste, tu l'avais tiré pour nous des profondeurs de l'abîme, cet inestimable joyau ; et nous, comme des enfants gâtés que nous sommes, nous en avons fait un jouet ; le vert sentier qui nous amenait l'un vers l'autre avait une pente si douce, il était entouré de buissons si fleuris, il se perdait dans un si tranquille horizon ! Il a bien fallu que la vanité, le bavardage et la colère vinssent jeter leurs rochers informes sur cette route céleste, qui nous aurait conduits à toi dans un baiser ! Il a bien fallu que nous nous fissions du mal, car nous sommes des hommes. Ô insensés ! nous nous aimons.

Il la prend dans ses bras.

CAMILLE

Oui, nous nous aimons, Perdican ; laisse-moi le sentir sur ton cœur ; ce Dieu qui nous regarde ne s'en offensera pas ; il veut bien que je t'aime ; il y a quinze ans qu'il le sait.

PERDICAN

Chère créature, tu es à moi !

Il l'embrasse; on entend un grand cri derrière l'autel.

CAMILLE

C'est la voix de ma sœur de lait.

PERDICAN

Comment est-elle ici ! Je l'avais laissée dans l'escalier, lorsque tu m'as fait rappeler. Il faut donc qu'elle m'ait suivi, sans que je m'en sois aperçu.

CAMILLE

Entrons dans cette galerie ; c'est là qu'on a crié.

PERDICAN

Je ne sais ce que j'éprouve ; il me semble que mes mains sont couvertes de sang.

CAMILLE

La pauvre enfant nous a sans doute épiés ; elle s'est encore évanouie ; viens, portons-lui secours ; hélas ! tout cela est cruel.

PERDICAN

Non, en vérité, je n'entrerai pas ; je sens un froid mortel qui me paralyse. Vas-y, Camille, et tâche de la ramener.

Camille sort.

Je vous en supplie, mon Dieu ! ne faites pas de moi un meurtrier ! Vous voyez ce qui se passe ; nous sommes deux enfants insensés, et nous avons joué avec la vie et la mort ; mais notre cœur est pur ; ne tuez pas Rosette, Dieu juste ! Je lui trouverai un mari, je réparerai ma faute ; elle est jeune, elle sera riche, elle sera heureuse ; ne faites pas cela, ô Dieu, vous pouvez bénir encore quatre de vos enfants. Eh bien ! Camille, qu'y a-t-il ?

Camille rentre.

CAMILLE

Elle est morte. Adieu, Perdican.

FANTASIO

COMÉDIE EN DEUX ACTES

1834

PERSONNAGES

LE ROI DE BAVIÈRE
LE PRINCE DE MANTOUE
MARINONI, son aide de camp
RUTTEN, secrétaire du roi
FANTASIO
SPARK
HARTMAN
FACIO
Jeunes gens de la ville
Officiers, pages, etc.
ELSBETH, fille du roi de Bavière
LA GOUVERNANTE D'ELSBETH

Munich.

ACTE I

SCÈNE 1

À la cour

LE ROI, *entouré de ses courtisans;* RUTTEN

LE ROI

Mes amis, je vous ai annoncé, il y a déjà longtemps, les fiançailles de ma chère Elsbeth avec le prince de Mantoue. Je vous annonce aujourd'hui l'arrivée de ce prince; ce soir peut-être, demain au plus tard, il sera dans ce palais. Que ce soit un jour de fête pour tout le monde; que les prisons s'ouvrent, et que le peuple passe la nuit dans les divertissements. Rutten, où est ma fille?

Les courtisans se retirent.

RUTTEN

Sire, elle est dans le parc, avec sa gouvernante.

LE ROI

Pourquoi ne l'ai-je pas encore vue aujourd'hui? Est-elle triste ou gaie de ce mariage qui s'apprête?

RUTTEN

Il m'a paru que le visage de la princesse était voilé de quelque mélancolie. Quelle est la jeune fille qui ne rêve pas la veille de ses noces ? La mort de Saint-Jean l'a contrariée.

LE ROI

Y penses-tu ? La mort de mon bouffon ? d'un plaisant de cour bossu et presque aveugle ?

RUTTEN

La princesse l'aimait.

LE ROI

Dis-moi, Rutten, tu as vu le prince ; quel homme est-ce ? Hélas ! je lui donne ce que j'ai de plus précieux au monde, et je ne le connais point.

RUTTEN

Je suis demeuré fort peu de temps à Mantoue.

LE ROI

Parle franchement. Par quels yeux puis-je voir la vérité, si ce n'est par les tiens ?

RUTTEN

En vérité, Sire, je ne saurais rien dire sur le caractère et l'esprit du noble prince.

LE ROI

En est-il ainsi ? Tu hésites ? Toi, courtisan ! De combien d'éloges l'air de cette chambre serait déjà rempli, de combien d'hyperboles et de métaphores flatteuses, si le prince qui sera demain mon gendre t'avait paru digne de ce titre ! Me serais-je trompé, mon ami ? aurais-je fait en lui un mauvais choix ?

RUTTEN

Sire, le prince passe pour le meilleur des rois.

LE ROI

La politique est une fine toile d'araignée, dans laquelle se débattent bien des pauvres mouches mutilées ; je ne sacrifierai le bonheur de ma fille à aucun intérêt.

Ils sortent.

SCÈNE 2

Une rue

SPARK, HARTMAN *et* FACIO, *buvant autour d'une table.*

HARTMAN

Puisque c'est aujourd'hui le mariage de la princesse, buvons, fumons, et tâchons de faire du tapage.

FACIO

Il serait bon de nous mêler à tout ce peuple qui court les rues, et d'éteindre quelques lampions sur de bonnes têtes de bourgeois.

SPARK

Allons donc ! fumons tranquillement.

HARTMAN

Je ne ferai rien tranquillement ; dussé-je me faire battant de cloche et me pendre dans le bourdon de l'église, il faut que je carillonne un jour de fête. Où diable est donc Fantasio ?

SPARK

Attendons-le ; ne faisons rien sans lui.

FACIO

Bah ! il nous retrouvera toujours. Il est à se griser dans quelque trou de la rue Basse. Holà, ohé ! un dernier coup ! *(Il lève son verre.)*

UN OFFICIER, *entrant.*

Messieurs, je viens vous prier de vouloir bien aller plus loin, si vous ne voulez point être dérangés dans votre gaieté.

HARTMAN

Pourquoi, mon capitaine ?

L'OFFICIER

La princesse est dans ce moment sur la terrasse que vous voyez, et vous comprenez aisément qu'il n'est pas convenable que vos cris arrivent jusqu'à elle.

Il sort.

FACIO

Voilà qui est intolérable !

SPARK

Qu'est-ce que cela nous fait de rire ici ou ailleurs ?

HARTMAN

Qui est-ce qui nous dit qu'ailleurs il nous sera permis de rire ? Vous verrez qu'il sortira un drôle en habit vert de tous les pavés de la ville, pour nous prier d'aller rire dans la lune.

Entre Marinoni, couvert d'un manteau.

SPARK

La princesse n'a jamais fait un acte de despotisme de sa vie. Que Dieu la conserve ! Si elle ne veut pas qu'on rie, c'est qu'elle est triste, ou qu'elle chante ; laissons-la en repos.

FACIO

Humph ! voilà un manteau rabattu qui flaire quelque nouvelle. Le gobe-mouche a envie de nous aborder.

MARINONI, *approchant.*

Je suis un étranger, messieurs ; à quelle occasion cette fête ?

SPARK

La princesse Elsbeth se marie.

MARINONI

Ah ! ah ! c'est une belle femme, à ce que je présume ?

HARTMAN

Comme vous êtes un bel homme, vous l'avez dit.

MARINONI

Aimée de son peuple, si j'ose le dire, car il me paraît que tout est illuminé.

HARTMAN

Tu ne te trompes pas, brave étranger, tous ces lampions allumés que tu vois, comme tu l'as remarqué sagement, ne sont pas autre chose qu'une illumination.

MARINONI

Je voulais demander par là si la princesse est la cause de ces signes de joie.

HARTMAN

L'unique cause, puissant rhéteur. Nous aurions beau nous marier tous, il n'y aurait aucune espèce de joie dans cette ville ingrate.

MARINONI

Heureuse la princesse qui sait se faire aimer de son peuple !

HARTMAN

Des lampions allumés ne font pas le bonheur d'un peuple, cher homme primitif. Cela n'empêche pas la susdite princesse d'être fantasque comme une bergeronnette.

MARINONI

En vérité ? vous avez dit fantasque ?

HARTMAN

Je l'ai dit, cher inconnu, je me suis servi de ce mot.

Marinoni salue et se retire.

FACIO

À qui diantre en veut ce baragouineur d'italien ? Le voilà qui nous quitte pour aborder un autre groupe. Il sent l'espion d'une lieue.

HARTMAN

Il ne sent rien du tout ; il est bête à faire plaisir.

SPARK

Voilà Fantasio qui arrive.

HARTMAN

Qu'a-t-il donc ? il se dandine comme un conseiller de justice. Ou je me trompe fort, ou quelque lubie mûrit dans sa cervelle.

FACIO

Eh bien ! ami, que ferons-nous de cette belle soirée ?

FANTASIO, *entrant*

Tout absolument, hors un roman nouveau.

FACIO

Je disais qu'il faudrait se lancer dans cette canaille, et nous divertir un peu.

FANTASIO

L'important serait d'avoir des nez de carton et des pétards.

HARTMAN

Prendre la taille aux filles, tirer les bourgeois par la queue et casser les lanternes. Allons, partons, voilà qui est dit.

FANTASIO

Il était une fois un roi de Perse...

HARTMAN

Viens donc, Fantasio.

FANTASIO

Je n'en suis pas, je n'en suis pas!

HARTMAN

Pourquoi?

FANTASIO

Donnez-moi un verre de ça.

Il boit.

HARTMAN

Tu as le mois de mai sur les joues.

FANTASIO

C'est vrai; et le mois de janvier dans le cœur. Ma tête est comme une vieille cheminée sans feu : il n'y a que du vent et des cendres. Ouf! *(Il s'assoit.)* Que cela m'ennuie que tout le monde s'amuse! Je voudrais que ce grand ciel si lourd fût un immense bonnet de coton, pour envelopper jusqu'aux oreilles cette sotte ville et ses sots habitants. Allons, voyons ! dites-moi, de grâce, un calembour usé, quelque chose de bien rebattu.

HARTMAN

Pourquoi ?

FANTASIO

Pour que je rie. Je ne ris plus de ce qu'on invente ; peut-être que je rirai de ce que je connais.

HARTMAN

Tu me parais un tant soit peu misanthrope et enclin à la mélancolie.

FANTASIO

Du tout ; c'est que je viens de chez ma maîtresse.

FACIO

Oui ou non, es-tu des nôtres ?

FANTASIO

Je suis des vôtres, si vous êtes des miens ; restons un peu ici à parler de choses et d'autres, en regardant nos habits neufs.

FACIO

Non, ma foi. Si tu es las d'être debout, je suis las d'être assis ; il faut que je m'évertue en plein air.

FANTASIO

Je ne saurais m'évertuer. Je vais fumer sous ces marronniers, avec ce brave Spark, qui va me tenir compagnie. N'est-ce pas, Spark ?

SPARK

Comme tu voudras.

HARTMAN

En ce cas, adieu. Nous allons voir la fête.

Hartman et Facio sortent. — Fantasio s'assied avec Spark.

FANTASIO

Comme ce soleil couchant est manqué ! La nature est pitoyable ce soir. Regarde-moi un peu cette vallée là-bas, ces quatre ou cinq méchants nuages qui grimpent sur cette montagne. Je faisais des paysages comme celui-là quand j'avais douze ans, sur la couverture de mes livres de classe.

SPARK

Quel bon tabac ! quelle bonne bière !

FANTASIO

Je dois bien t'ennuyer, Spark.

SPARK

Non ; pourquoi cela ?

FANTASIO

Toi, tu m'ennuies horriblement. Cela ne te fait rien de voir tous les jours la même figure ? Que diable Hartman et Facio s'en vont-ils faire dans cette fête ?

SPARK

Ce sont deux gaillards actifs et qui ne sauraient rester en place.

FANTASIO

Quelle admirable chose que *Les Mille et Une Nuits* ! Ô Spark, mon cher Spark, si tu pouvais me transporter en Chine ! Si je pouvais seulement sortir de ma peau pendant une heure ou deux ! Si je pouvais être ce monsieur qui passe !

SPARK

Cela me paraît assez difficile.

FANTASIO

Ce monsieur qui passe est charmant ; regarde : quelle belle culotte de soie ! quelles belles fleurs rouges sur son gilet ! Ses breloques de montre battent sur sa panse, en opposition avec les basques de son habit qui voltigent sur ses mollets. Je suis sûr que cet homme-là a dans la tête un millier d'idées qui me sont absolument étrangères ; son essence lui est particulière. Hélas ! tout ce que les hommes se disent entre eux se ressemble ; les idées qu'ils échangent sont presque toujours les mêmes dans toutes leurs conversations ; mais dans l'intérieur de toutes ces machines isolées, quels replis, quels compartiments secrets ! C'est tout un monde que chacun porte en lui ! un monde ignoré qui naît et qui meurt en silence ! Quelles solitudes que tous ces corps humains !

SPARK

Bois donc, désœuvré, au lieu de te creuser la tête.

FANTASIO

Il n'y a qu'une chose qui m'ait amusé depuis trois jours : c'est que mes créanciers ont obtenu un arrêt contre moi, et que si je mets les pieds dans ma maison, il va arriver quatre estafiers qui me prendront au collet.

SPARK

Voilà qui est fort gai, en effet. Où coucheras-tu ce soir ?

FANTASIO

Chez la première venue. Te figures-tu que mes meubles se vendent demain matin ? Nous en achèterons quelques-uns, n'est-ce pas ?

SPARK

Manques-tu d'argent, Henri ? Veux-tu ma bourse ?

FANTASIO

Imbécile ! si je n'avais pas d'argent, je n'aurais pas de dettes. J'ai envie de prendre pour maîtresse une fille d'opéra.

SPARK

Cela t'ennuiera à périr.

FANTASIO

Pas du tout ; mon imagination se remplira de pirouettes et de souliers de satin blanc ; il y aura un gant à moi sur la banquette du balcon depuis le premier janvier jusqu'à la Saint-Sylvestre, et je fredonnerai des solos de clarinette dans mes rêves, en attendant que je meure d'une indigestion de fraises dans les bras de ma bien-aimée. Remarques-tu une chose, Spark ? c'est que nous n'avons point d'état ; nous n'exerçons aucune profession.

SPARK

C'est là ce qui t'attriste ?

FANTASIO

Il n'y a point de maître d'armes mélancolique.

SPARK

Tu me fais l'effet d'être revenu de tout.

FANTASIO

Ah ! pour être revenu de tout, mon ami, il faut être allé dans bien des endroits.

SPARK

Eh bien donc ?

FANTASIO

Eh bien donc ! où veux-tu que j'aille ? Regarde cette vieille ville enfumée ; il n'y a pas de places, de rues, de ruelles où je n'aie rôdé trente fois ; il n'y a pas de pavés où je n'aie traîné ces talons usés, pas de maisons où je ne sache quelle est la fille ou la vieille femme dont la tête stupide se dessine éternellement à la fenêtre ; je ne saurais faire un pas sans marcher sur mes pas d'hier ; eh bien, mon cher ami, cette ville n'est rien auprès de ma cervelle. Tous les recoins m'en sont cent fois plus connus ; toutes les rues, tous les trous de mon imagination sont cent fois plus fatigués ; je m'y suis promené en cent fois plus de sens, dans cette cervelle délabrée, moi son seul habitant ! je m'y suis grisé dans tous les cabarets ; je m'y suis roulé comme un roi absolu dans un carrosse doré ; j'y ai trotté en bon bourgeois sur une mule pacifique, et je n'ose seulement pas maintenant y entrer comme un voleur, une lanterne sourde à la main.

SPARK

Je ne comprends rien à ce travail perpétuel sur toi-même ; moi, quand je fume, par exemple, ma pensée se fait fumée de tabac ; quand je bois, elle se fait vin d'Espagne ou bière de Flandre; quand je baise la main de ma maîtresse, elle entre par le bout de ses doigts effilés pour se répandre dans tout son être sur des courants électriques; il me faut le parfum d'une fleur pour me distraire, et de tout ce que renferme l'universelle nature, le plus chétif objet suffit pour me changer en abeille et me faire voltiger çà et là avec un plaisir toujours nouveau.

FANTASIO

Tranchons le mot, tu es capable de pêcher à la ligne.

SPARK

Si cela m'amuse, je suis capable de tout.

FANTASIO

Même de prendre la lune avec les dents?

SPARK

Cela ne m'amuserait pas.

FANTASIO

Ah! ah! qu'en sais-tu? Prendre la lune avec les dents n'est pas à dédaigner. Allons jouer au trente-et-quarante.

SPARK

Non, en vérité.

FANTASIO

Pourquoi?

SPARK

Parce que nous perdrions notre argent.

FANTASIO

Ah ! mon Dieu ! qu'est-ce que tu vas imaginer là ! Tu ne sais quoi inventer pour te torturer l'esprit. Tu vois donc tout en noir, misérable ! Perdre notre argent ! tu n'as donc dans le cœur ni foi en Dieu ni espérance ? tu es donc un athée épouvantable, capable de me dessécher le cœur et de me désabuser de tout, moi qui suis plein de sève et de jeunesse !

Il se met à danser.

SPARK

En vérité, il y a de certains moments où je ne jurerais pas que tu n'es pas fou.

FANTASIO, *dansant toujours.*

Qu'on me donne une cloche ! une cloche de verre !

SPARK

À propos de quoi une cloche ?

FANTASIO

Jean-Paul n'a-t-il pas dit qu'un homme absorbé par une grande pensée est comme un plongeur sous sa cloche, au milieu du vaste Océan ? Je n'ai point de cloche, Spark, point de cloche, et je danse comme Jésus-Christ sur le vaste Océan.

SPARK

Fais-toi journaliste ou homme de lettres, Henri, c'est encore le plus efficace moyen qui nous reste de désopiler la misanthropie et d'amortir l'imagination.

FANTASIO

Oh ! je voudrais me passionner pour un homard à la moutarde, pour une grisette, pour une classe de minéraux. Spark ! essayons de bâtir une maison à nous deux.

SPARK

Pourquoi n'écris-tu pas tout ce que tu rêves ? cela ferait un joli recueil.

FANTASIO

Un sonnet vaut mieux qu'un long poème, et un verre de vin vaut mieux qu'un sonnet.

Il boit.

SPARK

Pourquoi ne voyages-tu pas ? va en Italie.

FANTASIO

J'y ai été.

SPARK

Eh bien ! est-ce que tu ne trouves pas ce pays-là beau ?

FANTASIO

Il y a une quantité de mouches grosses comme des hannetons qui vous piquent toute la nuit.

SPARK

Va en France.

FANTASIO

Il n'y a pas de bon vin du Rhin à Paris.

SPARK

Va en Angleterre.

FANTASIO

J'y suis. Est-ce que les Anglais ont une patrie? J'aime autant les voir ici que chez eux.

SPARK

Va donc au diable, alors.

FANTASIO

Oh! s'il y avait un diable dans le ciel! s'il y avait un enfer, comme je me brûlerais la cervelle pour aller voir tout ça! Quelle misérable chose que l'homme! ne pas pouvoir seulement sauter par sa fenêtre sans se casser les jambes! être obligé de jouer du violon dix ans pour devenir un musicien passable! Apprendre pour être peintre, pour être palefrenier! Apprendre pour faire une omelette! Tiens, Spark, il me prend des envies de m'asseoir sur un parapet, de regarder couler la rivière, et de me mettre à compter un, deux, trois, quatre, cinq, six, sept, et ainsi de suite jusqu'au jour de ma mort.

SPARK

Ce que tu dis là ferait rire bien des gens; moi, cela me fait frémir: c'est l'histoire du siècle entier. L'éternité est une grande aire, d'où tous les siècles, comme de jeunes aiglons, se sont envolés tour à tour pour traverser le ciel et disparaître; le nôtre est arrivé à son tour au bord du nid; mais on lui a coupé les ailes, et il attend la mort en regardant l'espace dans lequel il ne peut s'élancer.

FANTASIO, *chantant :*

Tu m'appelles ta vie, appelle-moi ton âme,
Car l'âme est immortelle, et la vie est un jour.

Connais-tu une plus divine romance que celle-là, Spark?

C'est une romance portugaise. Elle ne m'est jamais venue à l'esprit sans me donner envie d'aimer quelqu'un.

SPARK

Qui, par exemple?

FANTASIO

Qui? je n'en sais rien; quelque belle fille toute ronde comme les femmes de Miéris; quelque chose de doux comme le vent d'ouest, de pâle comme les rayons de la lune; quelque chose de pensif comme ces petites servantes d'auberge des tableaux flamands qui donnent le coup de l'étrier à un voyageur à larges bottes, droit comme un piquet sur un grand cheval blanc. Quelle belle chose que le coup de l'étrier! une jeune femme sur le pas de sa porte, le feu allumé qu'on aperçoit au fond de la chambre, le souper préparé, les enfants endormis; toute la tranquillité de la vie paisible et contemplative dans un coin du tableau! et là l'homme encore haletant, mais ferme sur la selle, ayant fait vingt lieues, en ayant trente à faire; une gorgée d'eau-de-vie, et adieu. La nuit est profonde là-bas, le temps menaçant, la forêt dangereuse; la bonne femme le suit des yeux une minute, puis elle laisse tomber, en retournant à son feu, cette sublime aumône du pauvre : Que Dieu le protège!

SPARK

Si tu étais amoureux, Henri, tu serais le plus heureux des hommes.

FANTASIO

L'amour n'existe plus, mon cher ami. La religion, sa nourrice, a les mamelles pendantes comme une vieille bourse au fond de laquelle il y a un gros sou.

L'amour est une hostie qu'il faut briser en deux au pied d'un autel et avaler ensemble dans un baiser ; il n'y a plus d'autel, il n'y a plus d'amour. Vive la nature ! il y a encore du vin.

Il boit.

SPARK

Tu vas te griser.

FANTASIO

Je vais me griser, tu l'as dit.

SPARK

Il est un peu tard pour cela.

FANTASIO

Qu'appelles-tu tard ? Midi, est-ce tard ? minuit, est-ce de bonne heure ? Où prends-tu la journée ? Restons là, Spark, je t'en prie. Buvons, causons, analysons, déraisonnons, faisons de la politique ; imaginons des combinaisons de gouvernement ; attrapons tous les hannetons qui passent autour de cette chandelle, et mettons-les dans nos poches. Sais-tu que les canons à vapeur sont une belle chose en matière de philanthropie ?

SPARK

Comment l'entends-tu ?

FANTASIO

Il y avait une fois un roi qui était très-sage, très-sage, très-heureux, très-heureux...

SPARK

Après ?

FANTASIO

La seule chose qui manquait à son bonheur, c'était d'avoir des enfants. Il fit faire des prières publiques dans toutes les mosquées.

SPARK

À quoi en veux-tu venir ?

FANTASIO

Je pense à mes chères *Mille et Une Nuits*. C'est comme cela qu'elles commencent toutes. — Tiens, Spark, je suis gris. Il faut que je fasse quelque chose. Tra la, tra la ! Allons, levons-nous ! *(Un enterrement passe.)* Ohé ! braves gens, qui enterrez-vous là ? Ce n'est pas maintenant l'heure d'enterrer proprement.

LES PORTEURS

Nous enterrons Saint-Jean.

FANTASIO

Saint-Jean est mort ? le bouffon du roi est mort ? Qui a pris sa place ? le ministre de la justice ?

LES PORTEURS

Sa place est vacante, vous pouvez la prendre si vous voulez.

Ils sortent.

SPARK

Voilà une insolence que tu t'es bien attirée. À quoi penses-tu, d'arrêter ces gens ?

FANTASIO

Il n'y a rien là d'insolent. C'est un conseil d'ami que m'a donné cet homme, et que je vais suivre à l'instant.

SPARK

Tu vas te faire bouffon de cour ?

FANTASIO

Cette nuit même, si l'on veut de moi. Puisque je ne puis coucher chez moi, je veux me donner la représentation de cette royale comédie qui se jouera demain, et de la loge du roi lui-même.

SPARK

Comme tu es fin ! On te reconnaîtra, et les laquais te mettront à la porte ; n'es-tu pas filleul de la feue reine ?

FANTASIO

Comme tu es bête ! je me mettrai une bosse et une perruque rousse comme la portait Saint-Jean, et personne ne me reconnaîtra, quand j'aurais trois douzaines de parrains à mes trousses. *(Il frappe à une boutique.)* Hé ! brave homme, ouvrez-moi, si vous n'êtes pas sorti, vous, votre femme et vos petits chiens !

UN TAILLEUR, *ouvrant la boutique.*

Que demande Votre Seigneurie ?

FANTASIO

N'êtes-vous pas tailleur de la cour ?

LE TAILLEUR

Pour vous servir.

FANTASIO

Est-ce vous qui habilliez Saint-Jean ?

LE TAILLEUR

Oui, monsieur.

FANTASIO

Vous le connaissiez ? Vous savez de quel côté était sa bosse, comment il frisait sa moustache, et quelle perruque il portait ?

LE TAILLEUR

Hé, hé ! monsieur veut rire.

FANTASIO

Homme, je ne veux point rire ; entre dans ton arrière-boutique : et si tu ne veux être empoisonné demain dans ton café au lait, songe à être muet comme la tombe sur tout ce qui va se passer ici.

Il sort avec le tailleur; Spark le suit.

SCÈNE 3

Une auberge sur la route de Munich
Entrent LE PRINCE DE MANTOUE *et* MARINONI

LE PRINCE

Eh bien, colonel ?

MARINONI

Altesse ?

LE PRINCE

Eh bien, Marinoni ?

MARINONI

Mélancolique, fantasque, d'une joie folle, soumise à son père, aimant beaucoup les pois verts.

LE PRINCE

Écris cela ; je ne comprends clairement que les écritures moulées en bâtarde.

MARINONI, *écrivant.*

Mélanco...

LE PRINCE

Écris à voix basse : je rêve à un projet d'importance depuis mon dîner.

MARINONI

Voilà, Altesse, ce que vous demandez.

LE PRINCE

C'est bien ; je te nomme mon ami intime ; je ne connais pas dans tout mon royaume de plus belle écriture que la tienne. Assieds-toi à quelque distance. Vous pensez donc, mon ami, que le caractère de la princesse, ma future épouse, vous est secrètement connu ?

MARINONI

Oui, Altesse : j'ai parcouru les alentours du palais, et ces tablettes renferment les principaux traits des conversations différentes dans lesquelles je me suis immiscé.

LE PRINCE, *se mirant.*

Il me semble que je suis poudré comme un homme de la dernière classe.

MARINONI

L'habit est magnifique.

LE PRINCE

Que dirais-tu, Marinoni, si tu voyais ton maître revêtir un simple frac olive ?

MARINONI

Son Altesse se rit de ma crédulité.

LE PRINCE

Non, colonel. Apprends que ton maître est le plus romanesque des hommes.

MARINONI

Romanesque, Altesse !

LE PRINCE

Oui, mon ami (je t'ai accordé ce titre) ; l'important projet que je médite est inouï dans ma famille ; je prétends arriver à la cour du roi mon beau-père dans l'habillement d'un simple aide de camp ; ce n'est pas assez d'avoir envoyé un homme de ma maison recueillir les bruits sur la future princesse de Mantoue (et cet homme, Marinoni, c'est toi-même), je veux encore observer par mes yeux.

MARINONI

Est-il vrai, Altesse ?

LE PRINCE

Ne reste pas pétrifié. Un homme tel que moi ne doit avoir pour ami intime qu'un esprit vaste et entreprenant.

MARINONI

Une seule chose me paraît s'opposer au dessein de Votre Altesse.

LE PRINCE

Laquelle ?

MARINONI

L'idée d'un tel travestissement ne pouvait appartenir qu'au prince glorieux qui nous gouverne. Mais si mon gracieux souverain est confondu parmi l'état-major, à qui le roi de Bavière fera-t-il les honneurs d'un festin splendide qui doit avoir lieu dans la galerie ?

LE PRINCE

Tu as raison ; si je me déguise, il faut que quelqu'un prenne ma place. Cela est impossible, Marinoni ; je n'avais pas pensé à cela.

MARINONI

Pourquoi impossible, Altesse ?

LE PRINCE

Je puis bien abaisser la dignité princière jusqu'au grade de colonel ; mais comment peux-tu croire que je consentirais à élever jusqu'à mon rang un homme quelconque ? Penses-tu d'ailleurs que mon futur beau-père me le pardonnerait ?

MARINONI

Le roi passe pour un homme de beaucoup de sens et d'esprit, avec une humeur agréable.

LE PRINCE

Ah ! ce n'est pas sans peine que je renonce à mon projet. Pénétrer dans cette cour nouvelle sans faste et sans bruit, observer tout, approcher de la princesse sous un faux nom, et peut-être m'en faire aimer ! — Oh ! je m'égare ; cela est impossible. Marinoni, mon ami, essaye mon habit de cérémonie ; je ne saurais y résister.

MARINONI, *s'inclinant.*

Altesse !

LE PRINCE

Penses-tu que les siècles futurs oublieront une pareille circonstance ?

MARINONI

Jamais, gracieux prince.

LE PRINCE

Viens essayer mon habit.

Ils sortent.

ACTE II

SCÈNE 1

Le jardin du roi de Bavière
Entrent ELSBETH *et sa* GOUVERNANTE

LA GOUVERNANTE

Mes pauvres yeux en ont pleuré, pleuré un torrent du ciel.

ELSBETH

Tu es si bonne ! Moi aussi j'aimais Saint-Jean ; il avait tant d'esprit ! Ce n'était point un bouffon ordinaire.

LA GOUVERNANTE

Dire que le pauvre homme est allé là-haut la veille de vos fiançailles ! Lui qui ne parlait que de vous à dîner et à souper, tant que le jour durait. Un garçon si gai, si amusant, qu'il faisait aimer la laideur, et que les yeux le cherchaient toujours en dépit d'eux-mêmes !

ELSBETH

Ne me parle pas de mon mariage ; c'est encore là un plus grand malheur.

LA GOUVERNANTE

Ne savez-vous pas que le prince de Mantoue arrive aujourd'hui ? On dit que c'est un Amadis.

ELSBETH

Que dis-tu là, ma chère ! Il est horrible et idiot, tout le monde le sait déjà ici.

LA GOUVERNANTE

En vérité ? on m'avait dit que c'était un Amadis.

ELSBETH

Je ne demandais pas un Amadis, ma chère ; mais cela est cruel, quelquefois, de n'être qu'une fille de roi. Mon père est le meilleur des hommes ; le mariage qu'il prépare assure la paix de son royaume ; il recevra en récompense la bénédiction d'un peuple ; mais moi, hélas ! j'aurai la sienne, et rien de plus.

LA GOUVERNANTE

Comme vous parlez tristement !

ELSBETH

Si je refusais le prince, la guerre serait bientôt recommencée ; quel malheur, que ces traités de paix se signent toujours avec des larmes ! Je voudrais être une forte tête, et me résigner à épouser le premier venu, quand cela est nécessaire en politique. Être la mère d'un peuple, cela console les grands cœurs, mais non les têtes faibles. Je ne suis qu'une pauvre rêveuse ; peut-être la faute en est-elle à tes romans, tu en as toujours dans tes poches.

LA GOUVERNANTE

Seigneur ! n'en dites rien.

ELSBETH

J'ai peu connu la vie, et j'ai beaucoup rêvé.

LA GOUVERNANTE

Si le prince de Mantoue est tel que vous le dites, Dieu ne laissera pas cette affaire-là s'arranger, j'en suis sûre.

ELSBETH

Tu crois ! Dieu laisse faire les hommes, ma pauvre amie, et il ne fait guère plus de cas de nos plaintes que du bêlement d'un mouton.

LA GOUVERNANTE

Je suis sûre que si vous refusiez le prince, votre père ne vous forcerait pas.

ELSBETH

Non, certainement, il ne me forcerait pas ; et c'est pour cela que je me sacrifie. Veux-tu que j'aille dire à mon père d'oublier sa parole, et de rayer d'un trait de plume son nom respectable sur un contrat qui fait des milliers d'heureux ? Qu'importe qu'il fasse une malheureuse ? Je laisse mon bon père être un bon roi.

LA GOUVERNANTE

Hi ! hi !

Elle pleure.

ELSBETH

Ne pleure pas sur moi, ma bonne ; tu me ferais peut-être pleurer moi-même, et il ne faut pas qu'une royale fiancée ait les yeux rouges. Ne t'afflige pas de tout cela. Après tout, je serai une reine, c'est peut-être amusant; je prendrai peut-être goût à mes parures, que sais-je? à mes carrosses, à ma nouvelle cour; heureusement qu'il y a pour une princesse autre chose dans le mariage qu'un mari. Je trouverai peut-être le bonheur au fond de ma corbeille de noces.

LA GOUVERNANTE

Vous êtes un vrai agneau pascal.

ELSBETH

Tiens, ma chère, commençons toujours par en rire, quitte à en pleurer quand il en sera temps. On dit que le prince de Mantoue est la plus ridicule chose du monde.

LA GOUVERNANTE

Si Saint-Jean était là!

ELSBETH

Ah Saint-Jean, Saint-Jean!

LA GOUVERNANTE

Vous l'aimiez beaucoup, mon enfant.

ELSBETH

Cela est singulier: son esprit m'attachait à lui avec des fils imperceptibles qui semblaient venir de mon cœur; sa perpétuelle moquerie de mes idées romanesques me plaisait à l'excès, tandis que je ne puis supporter qu'avec peine bien des gens qui abondent dans mon sens; je ne sais ce qu'il y avait autour de lui, dans ses yeux, dans ses gestes, dans la manière dont il prenait son tabac. C'était un homme bizarre ; tandis qu'il me parlait, il me passait devant les yeux des tableaux délicieux ; sa parole donnait la vie, comme par enchantement, aux choses les plus étranges.

LA GOUVERNANTE

C'était un vrai Triboulet.

ELSBETH

Je n'en sais rien ; mais c'était un diamant d'esprit.

LA GOUVERNANTE

Voilà des pages qui vont et viennent ; je crois que le prince ne va pas tarder à se montrer ; il faudrait retourner au palais pour vous habiller.

ELSBETH

Je t'en supplie, laisse-moi un quart d'heure encore ; va préparer ce qu'il me faut : hélas ! ma chère, je n'ai plus longtemps à rêver.

LA GOUVERNANTE

Seigneur, est-il possible que ce mariage se fasse, s'il vous déplaît ? Un père sacrifie sa fille ! le roi serait un véritable Jephté, s'il le faisait.

ELSBETH

Ne dis pas de mal de mon père ; va, ma chère, prépare ce qu'il me faut.

La gouvernante sort.

ELSBETH, *seule.*

Il me semble qu'il y a quelqu'un derrière ces bosquets. Est-ce le fantôme de mon pauvre bouffon que j'aperçois dans ces bluets, assis sur la prairie ?

Répondez-moi ; qui êtes-vous ? que faites-vous là, à cueillir ces fleurs ?

Elle s'avance vers un tertre.

FANTASIO, *assis, vêtu en bouffon, avec une bosse et une perruque.*

Je suis un brave cueilleur de fleurs, qui souhaite le bonjour à vos beaux yeux.

ELSBETH

Que signifie cet accoutrement ? qui êtes-vous pour venir parodier sous cette large perruque un homme que j'ai aimé ? Êtes-vous écolier en bouffonnerie ?

FANTASIO

Plaise à Votre Altesse Sérénissime, je suis le nouveau bouffon du roi ; le majordome m'a reçu favorablement ; je suis présenté au valet de chambre ; les marmitons me protègent depuis hier au soir, et je cueille modestement des fleurs en attendant qu'il me vienne de l'esprit.

ELSBETH

Cela me paraît douteux, que vous cueilliez jamais cette fleur-là.

FANTASIO

Pourquoi ? l'esprit peut venir à un homme vieux, tout comme à une jeune fille. Cela est si difficile quelquefois de distinguer un trait spirituel d'une grosse sottise ! Beaucoup parler, voilà l'important ; le plus mauvais tireur de pistolet peut attraper la mouche, s'il tire sept cent quatre-vingts coups à la minute, tout aussi bien que le plus habile homme qui n'en tire qu'un ou deux bien ajustés. Je ne demande qu'à être nourri convenablement pour la grosseur de mon ventre, et je regarderai mon ombre au soleil pour voir si ma perruque pousse.

ELSBETH

En sorte que vous voilà revêtu des dépouilles de Saint-Jean ? Vous avez raison de parler de votre ombre ; tant que vous aurez ce costume, elle lui ressemblera toujours, je crois, plus que vous.

FANTASIO

Je fais en ce moment une élégie qui décidera de mon sort.

ELSBETH

En quelle façon ?

FANTASIO

Elle prouvera clairement que je suis le premier homme du monde, ou bien elle ne vaudra rien du tout. Je suis en train de bouleverser l'univers pour le mettre en acrostiche ; la lune, le soleil et les étoiles se battent pour entrer dans mes rimes, comme des écoliers à la porte d'un théâtre de mélodrames.

ELSBETH

Pauvre homme ! quel métier tu entreprends ! faire de l'esprit à tant par heure ! N'as-tu ni bras ni jambes, et ne ferais-tu pas mieux de labourer la terre que ta propre cervelle ?

FANTASIO

Pauvre petite ! quel métier vous entreprenez ! épouser un sot que vous n'avez jamais vu ! — N'avez-vous ni cœur ni tête, et ne feriez-vous pas mieux de vendre vos robes que votre corps ?

ELSBETH

Voilà qui est hardi, monsieur le nouveau venu !

FANTASIO

Comment appelez-vous cette fleur-là, s'il vous plaît ?

ELSBETH

Une tulipe. Que veux-tu prouver ?

FANTASIO

Une tulipe rouge, ou une tulipe bleue ?

ELSBETH

Bleue, à ce qu'il me semble.

FANTASIO

Point du tout, c'est une tulipe rouge.

ELSBETH

Veux-tu mettre un habit neuf à une vieille sentence ? tu n'en as pas besoin pour dire que des goûts et des couleurs il n'en faut pas disputer.

FANTASIO

Je ne dispute pas ; je vous dis que cette tulipe est une tulipe rouge, et cependant je conviens qu'elle est bleue.

ELSBETH

Comment arranges-tu cela ?

FANTASIO

Comme votre contrat de mariage. Qui peut savoir sous le soleil s'il est né bleu ou rouge? Les tulipes elles-mêmes n'en savent rien. Les jardiniers et les notaires font des greffes si extraordinaires, que les pommes deviennent des citrouilles, et que les chardons sortent de la mâchoire de l'âne pour s'inonder de sauce dans le plat d'argent d'un évêque. Cette tulipe que voilà s'attendait bien à être rouge; mais on l'a mariée, elle est tout étonnée d'être bleue; c'est ainsi que le monde entier se métamorphose sous les mains de l'homme; et la pauvre dame Nature doit se rire parfois au nez de bon cœur, quand elle mire dans ses lacs et dans ses mers son éternelle mascarade. Croyez-vous que ça sentît la rose dans le paradis de Moïse? ça ne sentait que le foin vert. La rose est fille de la civilisation; c'est une marquise comme vous et moi.

ELSBETH

La pâle fleur de l'aubépine peut devenir une rose, et un chardon peut devenir un artichaut; mais une fleur ne peut en devenir une autre : ainsi qu'importe à la nature? on ne la change pas, on l'embellit ou on la tue. La plus chétive violette mourrait plutôt que de céder si l'on voulait, par des moyens artificiels, altérer sa forme d'une étamine.

FANTASIO

C'est pourquoi je fais plus de cas d'une violette que d'une fille de roi.

ELSBETH

Il y a de certaines choses que les bouffons euxmêmes n'ont pas le droit de railler; fais-y attention. Si tu as écouté ma conversation avec ma gouvernante, prends garde à tes oreilles.

FANTASIO

Non pas à mes oreilles, mais à ma langue. Vous vous trompez de sens ; il y a une erreur de sens dans vos paroles.

ELSBETH

Ne me fais pas de calembour, si tu veux gagner ton argent, et ne me compare pas à des tulipes, si tu ne veux gagner autre chose.

FANTASIO

Qui sait ? Un calembour console de bien des chagrins ; et jouer avec les mots est un moyen comme un autre de jouer avec les pensées, les actions et les êtres. Tout est calembour ici-bas, et il est aussi difficile de comprendre le regard d'un enfant de quatre ans, que le galimatias de trois drames modernes.

ELSBETH

Tu me fais l'effet de regarder le monde à travers un prisme tant soit peu changeant.

FANTASIO

Chacun a ses lunettes ; mais personne ne sait au juste de quelle couleur en sont les verres. Qui est-ce qui pourra me dire au juste si je suis heureux ou malheureux, bon ou mauvais, triste ou gai, bête ou spirituel ?

ELSBETH

Tu es laid, du moins ; cela est certain.

FANTASIO

Pas plus certain que votre beauté. Voilà votre père qui vient avec votre futur mari. Qui est-ce qui peut savoir si vous l'épouserez ?

Il sort.

ELSBETH

Puisque je ne puis éviter la rencontre du prince de Mantoue, je ferai aussi bien d'aller au-devant de lui.

Entrent le Roi, Marinoni sous le costume de prince, et le Prince vêtu en aide de camp.

LE ROI

Prince, voici ma fille. Pardonnez-lui cette toilette de jardinière ; vous êtes ici chez un bourgeois qui en gouverne d'autres, et notre étiquette est aussi indulgente pour nous-mêmes que pour eux.

MARINONI

Permettez-moi de baiser cette main charmante, madame, si ce n'est pas une trop grande faveur pour mes lèvres.

LA PRINCESSE

Votre Altesse m'excusera si je rentre au palais. Je la verrai, je pense, d'une manière plus convenable à la présentation de ce soir.

Elle sort.

LE PRINCE

La princesse a raison ; voilà une divine pudeur.

LE ROI, *à Marinoni.*

Quel est donc cet aide de camp qui vous suit comme votre ombre ? Il m'est insupportable de l'entendre ajouter une remarque inepte à tout ce que nous disons. Renvoyez-le, je vous en prie.

Marinoni parle bas au Prince.

LE PRINCE, *de même.*

C'est fort adroit de ta part de lui avoir persuadé de m'éloigner; je vais tâcher de joindre la princesse et de lui toucher quelques mots délicats sans faire semblant de rien.

Il sort.

LE ROI

Cet aide de camp est un imbécile, mon ami; que pouvez-vous faire de cet homme-là ?

MARINONI

Hum ! hum ! Poussons quelques pas plus avant, si Votre Majesté le permet; je crois apercevoir un kiosque tout à fait charmant dans ce bocage.

Ils sortent.

SCÈNE 2

Une autre partie du jardin
Entre LE PRINCE

LE PRINCE

Mon déguisement me réussit à merveille; j'observe, et je me fais aimer. Jusqu'ici tout va au gré de mes souhaits; le père me paraît un grand roi, quoique trop sans façon, et je m'étonnerais si je ne lui avais plu tout d'abord. J'aperçois la princesse qui rentre au palais; le hasard me favorise singulièrement. (*Elsbeth entre; le Prince l'aborde.*) Altesse, permettez à un fidèle serviteur de votre futur époux de vous offrir les félicitations sincères que son cœur humble et dévoué ne peut contenir en vous voyant. Heureux les grands de la terre! Ils peuvent vous épouser! Moi je ne le puis pas; cela m'est tout à fait impossible; je suis d'une naissance obscure; je n'ai pour tout bien qu'un nom redoutable à l'ennemi; un cœur pur et sans tache bat sous ce modeste uniforme; je suis un pauvre soldat criblé de balles des pieds à la tête; je n'ai pas un ducat; je suis solitaire et exilé de ma terre natale comme de ma patrie céleste, c'est-à-dire du paradis de mes rêves; je n'ai pas un cœur de femme à presser sur mon cœur; je suis maudit et silencieux.

ELSBETH

Que me voulez-vous, mon cher monsieur? Êtes-vous fou, ou demandez-vous l'aumône?

LE PRINCE

Qu'il serait difficile de trouver des paroles pour exprimer ce que j'éprouve! Je vous ai vue passer toute seule dans cette allée; j'ai cru qu'il était de mon devoir de me jeter à vos pieds, et de vous offrir ma compagnie jusqu'à la poterne.

ELSBETH

Je vous suis obligée; rendez-moi le service de me laisser tranquille.

Elle sort.

LE PRINCE, *seul.*

Aurais-je eu tort de l'aborder? Il le fallait cependant, puisque j'ai le projet de la séduire sous mon habit supposé. Oui, j'ai bien fait de l'aborder. Cependant, elle m'a répondu d'une manière désagréable. Je n'aurais peut-être pas dû lui parler si vivement. Il le fallait pourtant bien, puisque mon mariage est presque assuré, et que je suis censé devoir supplanter Marinoni qui me remplace. J'ai eu raison de lui parler vivement. Mais la réponse est désagréable. Aurait-elle un cœur dur et faux ? Il serait bon de sonder adroitement la chose.

Il sort.

SCÈNE 3

Une antichambre

FANTASIO, *couché sur un tapis*

FANTASIO

Quel métier délicieux que celui de bouffon ! J'étais gris, je crois, hier soir, lorsque j'ai pris ce costume et que je me suis présenté au palais ; mais, en vérité, jamais la saine raison ne m'a rien inspiré qui valût cet acte de folie. J'arrive, et me voilà reçu, choyé, enregistré, et, ce qu'il y a de mieux encore, oublié. Je vais et viens dans ce palais comme si je l'avais habité toute ma vie. Tout à l'heure, j'ai rencontré le roi ; il n'a pas même eu la curiosité de me regarder ; son bouffon étant mort, on lui a dit : « Sire, en voilà un autre. » C'est admirable ! Dieu merci, voilà ma cervelle à l'aise ; je puis faire toutes les balivernes possibles sans qu'on me dise rien pour m'en empêcher ; je suis un des animaux domestiques du roi de Bavière, et si je veux, tant que je garderai ma bosse et ma perruque, on me laissera vivre jusqu'à ma mort entre un épagneul et une pintade. En attendant, mes créanciers peuvent se casser le nez contre ma porte tout à leur aise. Je suis aussi bien en sûreté ici, sous cette perruque, que dans les Indes Occidentales.

N'est-ce pas la princesse que j'aperçois dans la chambre voisine, à travers cette glace ? Elle rajuste son voile de noces ; deux longues larmes coulent sur ses joues ; en voilà une qui se détache comme une perle et qui tombe sur sa poitrine. Pauvre petit ! j'ai entendu ce matin sa conversation avec sa gouvernante ; en vérité, c'était par hasard ; j'étais assis sur le gazon, sans autre dessein que celui de dormir. Maintenant la voilà qui pleure et qui ne se doute guère que je la vois encore. Ah ! si j'étais un écolier de rhétorique, comme je réfléchirais profondément sur cette misère couronnée, sur cette pauvre brebis à qui on met un ruban rose au cou pour la mener à la boucherie ! Cette petite fille est sans doute romanesque ; il lui est cruel d'épouser un homme qu'elle ne connaît pas. Cependant elle se sacrifie en silence ; que le hasard est capricieux ! il faut que je me grise, que je rencontre l'enterrement de Saint-Jean, que je prenne son costume et sa place, que je fasse enfin la plus grande folie de la terre, pour venir voir tomber, à travers cette glace, les deux seules larmes que cette enfant versera peut-être sur son triste voile de fiancée !

Il sort.

SCÈNE 4

Une allée du jardin

LE PRINCE, MARINONI

LE PRINCE

Tu n'es qu'un sot, colonel.

MARINONI

Votre Altesse se trompe sur mon compte de la manière la plus pénible.

LE PRINCE

Tu es un maître butor. Ne pouvais-tu pas empêcher cela ? Je te confie le plus grand projet qui se soit enfanté depuis une suite d'années incalculable, et toi, mon meilleur ami, mon plus fidèle serviteur, tu entasses bêtises sur bêtises. Non, non, tu as beau dire ; cela n'est point pardonnable.

MARINONI

Comment pouvais-je empêcher Votre Altesse de s'attirer les désagréments qui sont la suite nécessaire du rôle supposé qu'elle joue ? Vous m'ordonnez de prendre votre nom et de me comporter en véritable prince de Mantoue. Puis-je empêcher le roi de Bavière de faire un affront à mon aide de camp ? Vous aviez tort de vous mêler de nos affaires.

LE PRINCE

Je voudrais bien qu'un maraud comme toi se mêlât de me donner des ordres.

MARINONI

Considérez, Altesse, qu'il faut cependant que je sois le prince ou que je sois l'aide de camp. C'est par votre ordre que j'agis.

LE PRINCE

Me dire que je suis un impertinent en présence de toute la cour, parce que j'ai voulu baiser la main de la princesse ! Je suis prêt à lui déclarer la guerre, et à retourner dans mes États pour me mettre à la tête de mes armées.

MARINONI

Songez donc, Altesse, que ce mauvais compliment s'adressait à l'aide de camp et non au prince. Prétendez-vous qu'on vous respecte sous ce déguisement ?

LE PRINCE

Il suffit. Rends-moi mon habit.

MARINONI, *ôtant l'habit.*

Si mon souverain l'exige, je suis prêt à mourir pour lui.

LE PRINCE

En vérité, je ne sais que résoudre. D'un côté, je suis furieux de ce qui m'arrive ; et, d'un autre, je suis désolé de renoncer à mon projet. La princesse ne paraît pas répondre indifféremment aux mots à double entente dont je ne cesse de la poursuivre. Déjà je suis parvenu deux ou trois fois à lui dire à l'oreille des choses incroyables. Viens, réfléchissons à tout cela.

MARINONI, *tenant l'habit.*

Que ferai-je, Altesse ?

LE PRINCE

Remets-le, remets-le, et rentrons au palais.

Ils sortent.

SCÈNE 5

LA PRINCESSE ELSBETH, LE ROI

LE ROI

Ma fille, il faut répondre franchement à ce que je vous demande : ce mariage vous déplaît-il ?

ELSBETH

C'est à vous, Sire, de répondre vous-même. Il me plaît, s'il vous plaît; il me déplaît, s'il vous déplaît.

LE ROI

Le prince m'a paru être un homme ordinaire, dont il est difficile de rien dire. La sottise de son aide de camp lui fait seule tort dans mon esprit; quant à lui, c'est peut-être un bon prince, mais ce n'est pas un homme élevé. Il n'y a rien en lui qui me repousse ou qui m'attire. Que puis-je te dire là-dessus? Le cœur des femmes a des secrets que je ne puis connaître; elles se font des héros parfois si étranges, elles saisissent si singulièrement un ou deux côtés d'un homme qu'on leur présente, qu'il est impossible de juger pour elles, tant qu'on n'est pas guidé par quelque point tout à fait sensible. Dis-moi donc clairement ce que tu penses de ton fiancé.

ELSBETH

Je pense qu'il est prince de Mantoue, et que la guerre recommencera demain entre lui et vous, si je ne l'épouse pas.

LE ROI

Cela est certain, mon enfant.

ELSBETH

Je pense donc que je l'épouserai, et que la guerre sera finie.

LE ROI

Que les bénédictions de mon peuple te rendent grâces pour ton père! Ô ma fille chérie! je serai heureux de cette alliance; mais je voudrais pas voir dans ces beaux yeux bleus cette tristesse qui dément leur résignation. Réfléchis encore quelques jours.

Il sort. — Entre Fantasio.

ELSBETH

Te voilà, pauvre garçon ! comment te plais-tu ici ?

FANTASIO

Comme un oiseau en liberté.

ELSBETH

Tu aurais mieux répondu, si tu avais dit comme un oiseau en cage. Ce palais en est une assez belle, cependant c'en est une.

FANTASIO

La dimension d'un palais ou d'une chambre ne fait pas l'homme plus ou moins libre. Le corps se remue où il peut : l'imagination ouvre quelquefois des ailes grandes comme le ciel dans un cachot grand comme la main.

ELSBETH

Ainsi donc, tu es un heureux fou ?

FANTASIO

Très heureux. Je fais la conversation avec les petits chiens et les marmitons. Il y a un roquet pas plus haut que cela dans la cuisine, qui m'a dit des choses charmantes.

ELSBETH

En quel langage ?

FANTASIO

Dans le style le plus pur. Il ne ferait pas une seule faute de grammaire dans l'espace d'une année.

ELSBETH

Pourrai-je entendre quelques mots de ce style ?

FANTASIO

En vérité, je ne le voudrais pas ; c'est une langue qui est particulière. Il n'y a pas que les roquets qui la parlent, les arbres et les grains de blé eux-mêmes la savent aussi ; mais les filles de roi ne la savent pas. À quand votre noce ?

ELSBETH

Dans quelques jours tout sera fini.

FANTASIO

C'est-à-dire, tout sera commencé. Je compte vous offrir un présent de ma main.

ELSBETH

Quel présent ? Je suis curieuse de cela.

FANTASIO

Je compte vous offrir un joli petit serin empaillé, qui chante comme un rossignol.

ELSBETH

Comment peut-il chanter, s'il est empaillé ?

FANTASIO

Il chante parfaitement.

ELSBETH

En vérité, tu te moques de moi avec un rare acharnement.

FANTASIO

Point du tout. Mon serin a une petite serinette dans le ventre. On pousse tout doucement un petit ressort sous la patte gauche, et il chante tous les opéras nouveaux, exactement comme Mlle Grisi.

ELSBETH

C'est une invention de ton esprit, sans doute ?

FANTASIO

En aucune façon. C'est un serin de cour ; il y a beaucoup de petites filles très bien élevées, qui n'ont pas d'autres procédés que celui-là. Elles ont un petit ressort sous le bras gauche, un joli petit ressort en diamant fin, comme la montre d'un petit-maître. Le gouverneur ou la gouvernante fait jouer le ressort, et vous voyez aussitôt les lèvres s'ouvrir avec le sourire le plus gracieux ; une charmante cascatelle de paroles mielleuses sort avec le plus doux murmure, et toutes les convenances sociales, pareilles à des nymphes légères, se mettent aussitôt à dansoter sur la pointe du pied autour de la fontaine merveilleuse. Le prétendu ouvre des yeux ébahis : l'assistance chuchote avec indulgence, et le père, rempli d'un secret contentement, regarde avec orgueil les boucles d'or de ses souliers.

ELSBETH

Tu parais revenir volontiers sur de certains sujets. Dis-moi, bouffon, que t'ont donc fait ces pauvres jeunes filles, pour que tu en fasses si gaiement la satire ? Le respect d'aucun devoir ne peut-il trouver grâce devant toi ?

FANTASIO

Je respecte fort la laideur; c'est pourquoi je me respecte moi-même si profondément.

ELSBETH

Tu parais quelquefois en savoir plus que tu n'en dis. D'où viens-tu donc, et qui es-tu, pour que, depuis un jour que tu es ici, tu saches déjà pénétrer des mystères que les princes eux-mêmes ne soupçonneront jamais ? Est-ce à moi que s'adressent tes folies, ou est-ce au hasard que tu parles ?

FANTASIO

C'est au hasard; je parle beaucoup au hasard; c'est mon plus cher confident.

ELSBETH

Il semble en effet t'avoir appris ce que tu ne devrais pas connaître. Je croirais volontiers que tu épies mes actions et mes paroles.

FANTASIO

Dieu le sait. Que vous importe ?

ELSBETH

Plus que tu ne peux penser. Tantôt dans cette chambre, pendant que je mettais mon voile, j'ai entendu marcher tout à coup derrière la tapisserie. Je me trompe fort si ce n'était toi qui marchais.

FANTASIO

Soyez sûre que cela reste entre votre mouchoir et moi. Je ne suis pas plus indiscret que je ne suis curieux. Quel plaisir pourraient me fâire vos chagrins ; quel chagrin pourraient me faire vos plaisirs ? Vous êtes ceci, et moi cela. Vous êtes jeune, et moi je suis vieux ; belle, et je suis laid ; riche, et je suis pauvre. Vous voyez bien qu'il n'y a aucun rapport entre nous. Que vous importe que le hasard ait croisé sur sa grande route deux roues qui ne suivent pas la même ornière, et qui ne peuvent marquer sur la même poussière ? Est-ce ma faute s'il m'est tombé, tandis que je dormais, une de vos larmes sur la joue ?

ELSBETH

Tu me parles sous la forme d'un homme que j'ai aimé, voilà pourquoi je t'écoute malgré moi. Mes yeux croient voir Saint-Jean ; mais peut-être n'es-tu qu'un espion.

FANTASIO

À quoi cela me servirait-il ? Quand il serait vrai que votre mariage vous coûterait quelques larmes, et quand je l'aurais appris par hasard, qu'est-ce que je gagnerais à l'aller raconter ? On ne me donnerait pas une pistole pour cela, et on ne vous mettrait pas au cabinet noir. Je comprends très bien qu'il doit être assez ennuyeux d'épouser le prince de Mantoue. Mais après tout, ce n'est pas moi qui en suis chargé. Demain ou après-demain vous serez partie pour Mantoue avec votre robe de noce, et moi je serai encore sur ce tabouret avec mes vieilles chausses. Pourquoi voulez-vous que je vous en veuille ? Je n'ai pas de raison pour désirer votre mort ; vous ne m'avez jamais prêté d'argent.

ELSBETH

Mais si le hasard t'a fait voir ce que je veux qu'on ignore, ne dois-je pas te mettre à la porte, de peur de nouvel accident ?

FANTASIO

Avez-vous le dessein de me comparer à un confident de tragédie, et craignez-vous que je ne suive votre ombre en déclamant ? Ne me chassez pas, je vous en prie. Je m'amuse beaucoup ici. Tenez, voilà votre gouvernante qui arrive avec des mystères plein ses poches. La preuve que je ne l'écouterai pas, c'est que je m'en vais à l'office manger une aile de pluvier que le majordome a mise de côté pour sa femme.

Il sort.

LA GOUVERNANTE, *entrant.*

Savez-vous une chose terrible, ma chère Elsbeth ?

ELSBETH

Que veux-tu dire ? tu es toute tremblante.

LA GOUVERNANTE

Le prince n'est pas le prince, ni l'aide de camp non plus. C'est un vrai conte de fées.

ELSBETH

Quel imbroglio me fais-tu là ?

LA GOUVERNANTE

Chut ! chut ! C'est un des officiers du prince lui-même qui vient de me le dire. Le prince de Mantoue est un véritable Almaviva ; il est déguisé et caché parmi les aides de camp ; il a voulu sans doute chercher à vous voir et à vous connaître d'une manière féerique. Il est déguisé, le digne seigneur, il est déguisé, comme Lindor ; celui qu'on vous a présenté comme votre futur époux n'est qu'un aide de camp nommé Marinoni.

ELSBETH

Cela n'est pas possible !

LA GOUVERNANTE

Cela est certain, certain mille fois. Le digne homme est déguisé; il est impossible de le reconnaître; c'est une chose extraordinaire.

ELSBETH

Tu tiens cela, dis-tu, d'un officier ?

LA GOUVERNANTE

D'un officier du prince. Vous pouvez le lui demander à lui-même.

ELSBETH

Et il ne t'a pas montré parmi les aides de camp le véritable prince de Mantoue ?

LA GOUVERNANTE

Figurez-vous qu'il en tremblait lui-même, le pauvre homme, de ce qu'il me disait. Il ne m'a confié son secret que parce qu'il désire vous être agréable et qu'il savait que je vous préviendrais. Quant à Marinoni, cela est positif; mais, pour ce qui est du prince véritable, il ne me l'a pas montré.

ELSBETH

Cela me donnerait quelque chose à penser, si c'était vrai. Viens, amène-moi cet officier.

Entre un page.

LA GOUVERNANTE

Qu'y a-t-il, Flamel ? Tu parais hors d'haleine.

LE PAGE

Ah ! madame, c'est une chose à en mourir de rire. Je n'ose parler devant Votre Altesse.

ELSBETH

Parle : qu'y a-t-il encore de nouveau ?

LE PAGE

Au moment où le prince de Mantoue entrait à cheval dans la cour, à la tête de son état-major, sa perruque s'est enlevée dans les airs et a disparu tout à coup.

ELSBETH

Pourquoi cela ? Quelle niaiserie !

LE PAGE

Madame, je veux mourir si ce n'est pas la vérité. La perruque s'est enlevée en l'air au bout d'un hameçon. Nous l'avons retrouvée dans l'office, à côté d'une bouteille cassée, on ignore qui a fait cette plaisanterie. Mais le duc n'en est pas moins furieux, et il a juré que si l'auteur n'en est pas puni de mort, il déclarera la guerre au roi votre père et mettra tout à feu et à sang.

ELSBETH

Viens écouter toute cette histoire, ma chère. Mon sérieux commence à m'abandonner.

Entre un autre page.

ELSBETH

Eh bien, quelle nouvelle ?

LE PAGE

Madame ! le bouffon du roi est en prison ; c'est lui qui a enlevé la perruque du prince.

ELSBETH

Le bouffon est en prison ? et sur l'ordre du prince ?

LE PAGE

Oui, Altesse.

ELSBETH

Viens, chère mère, il faut que je te parle.

Elle sort avec sa gouvernante.

SCÈNE 6

LE PRINCE, MARINONI

LE PRINCE

Non, non, laisse-moi me démasquer. Il est temps que j'éclate. Cela ne se passera pas ainsi. Feu et sang ! une perruque royale au bout d'un hameçon ! Sommes-nous chez les barbares, dans les déserts de la Sibérie ? Y a-t-il encore sous le soleil quelque chose de civilisé et de convenable? J'écume de colère, et les yeux me sortent de la tête.

MARINONI

Vous perdez tout par cette violence.

LE PRINCE

Et ce père, ce roi de Bavière, ce monarque vanté dans tous les almanachs de l'année passée! cet homme qui a un extérieur si décent, qui s'exprime en termes si mesurés, et qui se met à rire en voyant la perruque de son gendre voler dans les airs! Car enfin, Marinoni, je conviens que c'est ta perruque qui a été enlevée. Mais n'est-ce pas toujours celle du prince de Mantoue, puisque c'est lui que l'on croit voir en toi? Quand je pense que si c'eût été moi, en chair et en os, ma perruque aurait peut-être... Ah! il y a une Providence; lorsque Dieu m'a envoyé tout d'un coup l'idée de me travestir; lorsque cet éclair a traversé ma pensée : « il faut que je me travestisse », ce fatal événement était prévu par le destin. C'est lui qui a sauvé de l'affront le plus intolérable la tête qui gouverne mes peuples. Mais, par le ciel, tout sera connu. C'est trop longtemps trahir ma dignité. Puisque les majestés divines et humaines sont impitoyablement violées et lacérées, puisqu'il n'y a plus chez les hommes de notions du bien et du mal, puisque le roi de plusieurs milliers d'hommes éclate de rire comme un palefrenier à la vue d'une perruque, Marinoni, rends-moi mon habit.

MARINONI, *ôtant son habit.*

Si mon souverain le commande, je suis prêt à souffrir pour lui mille tortures.

LE PRINCE

Je connais ton dévouement. Viens, je vais dire au roi son fait en propres termes.

MARINONI

Vous refusez la main de la princesse ? elle vous a cependant lorgné d'une manière évidente pendant tout le dîner.

LE PRINCE

Tu crois ? Je me perds dans un abîme de perplexités. Viens toujours, allons chez le roi.

MARINONI, *tenant l'habit.*

Que faut-il faire, Altesse ?

LE PRINCE

Remets-le pour un instant. Tu me le rendras tout à l'heure ; ils seront bien plus pétrifiés, en m'entendant prendre le ton qui me convient, sous ce frac de couleur foncée.

Ils sortent.

SCÈNE 7

Une prison
FANTASIO, *seul*

FANTASIO

Je ne sais s'il y a une Providence, mais c'est amusant d'y croire. Voilà pourtant une pauvre petite princesse qui allait épouser à son corps défendant un animal immonde, un cuistre de province, à qui le hasard a laissé tomber une couronne sur la tête, comme l'aigle d'Eschyle sa tortue. Tout était préparé ; les chandelles allumées, le prétendu poudré, la pauvre petite confessée. Elle avait essuyé les deux charmantes larmes que j'ai vues couler ce matin. Rien ne manquait que deux ou trois capucinades pour que le malheur de sa vie fût en règle. Il y avait dans tout cela la fortune de deux royaumes, la tranquillité de deux peuples ; et il faut que j'imagine de me déguiser en bossu, pour venir me griser derechef dans l'office de notre bon roi, et pour pêcher au bout d'une ficelle la perruque de son cher allié ! En vérité, lorsque je suis gris, je crois que j'ai quelque chose de surhumain. Voilà le mariage manqué et tout remis en question. Le prince de Mantoue a demandé ma tête, en échange de sa perruque. Le roi de Bavière a trouvé la peine un peu forte, et n'a consenti qu'à la prison. Le prince de Mantoue, grâce à Dieu, est si bête, qu'il se ferait plutôt couper en morceaux que d'en démordre ; ainsi la princesse reste fille, du moins pour cette fois. S'il n'y a pas là le sujet d'un poème épique en douze chants, je ne m'y connais pas. Pope et Boileau ont fait des vers admirables sur des sujets moins importants. Ah ! si j'étais poète, comme je peindrais la scène de cette perruque voltigeant dans les airs ! Mais celui qui est capable de faire de pareilles choses dédaigne de les écrire. Ainsi la postérité s'en passera.

Il s'endort.
Entrent Elsbeth et sa gouvernante, une lampe à la main.

ELSBETH

Il dort, ferme la porte doucement.

LA GOUVERNANTE

Voyez ; cela n'est pas douteux. Il a ôté sa perruque postiche ; sa difformité a disparu en même temps ; le voilà tel qu'il est, tel que ses peuples le voient sur son char de triomphe ; c'est le noble prince de Mantoue.

ELSBETH

Oui, c'est lui ; voilà ma curiosité satisfaite ; je voulais voir son visage, et rien de plus ; laisse-moi me pencher sur lui. *(Elle prend la lampe.)* Psyché, prends garde à ta goutte d'huile.

LA GOUVERNANTE

Il est beau comme un vrai Jésus.

ELSBETH

Pourquoi m'as-tu donné à lire tant de romans et de contes de fées ? Pourquoi as-tu semé dans ma pauvre pensée tant de fleurs étranges et mystérieuses ?

LA GOUVERNANTE

Comme vous voilà émue, sur la pointe de vos petits pieds !

ELSBETH

Il s'éveille ; allons-nous-en.

FANTASIO, *s'éveillant.*

Est-ce un rêve ? Je tiens le coin d'une robe blanche.

ELSBETH

Lâchez-moi ; laissez-moi partir.

FANTASIO

C'est vous, princesse ! Si c'est la grâce du bouffon du roi que vous m'apportez si divinement, laissez-moi remettre ma bosse et ma perruque ; ce sera fait dans un instant.

LA GOUVERNANTE

Ah ! prince, qu'il vous sied mal de nous tromper ainsi ! Ne reprenez pas ce costume ; nous savons tout.

FANTASIO

Prince ! Où en voyez-vous un ?

LA GOUVERNANTE

À quoi sert-il de dissimuler ?

FANTASIO

Je ne dissimule pas le moins du monde ; par quel hasard m'appelez-vous prince ?

LA GOUVERNANTE

Je connais mes devoirs envers Votre Altesse.

FANTASIO

Madame, je vous supplie de m'expliquer les paroles de cette honnête dame. Y a-t-il réellement quelque méprise extravagante, ou suis-je l'objet d'une raillerie ?

ELSBETH

Pourquoi le demander, lorsque c'est vous-même qui raillez ?

FANTASIO

Suis-je donc un prince, par hasard ? Concevrait-on quelque soupçon sur l'honneur de ma mère ?

ELSBETH

Qui êtes-vous, si vous n'êtes pas le prince de Mantoue ?

FANTASIO

Mon nom est Fantasio ; je suis un bourgeois de Munich.

Il lui montre une lettre.

ELSBETH

Un bourgeois de Munich ! Et pourquoi êtes-vous déguisé ? Que faites-vous ici ?

FANTASIO

Madame, je vous supplie de me pardonner.

Il se jette à genoux.

ELSBETH

Que veut dire cela ? Relevez-vous, homme, et sortez d'ici. Je vous fais grâce d'une punition que vous mériteriez peut-être. Qui vous a poussé à cette action ?

FANTASIO

Je ne puis dire le motif qui m'a conduit ici.

ELSBETH

Vous ne pouvez le dire ? et cependant je veux le savoir.

FANTASIO

Excusez-moi, je n'ose l'avouer.

LA GOUVERNANTE

Sortons, Elsbeth ; ne vous exposez pas à entendre des discours indignes de vous. Cet homme est un voleur, ou un insolent qui va vous parler d'amour.

ELSBETH

Je veux savoir la raison qui vous a fait prendre ce costume.

FANTASIO

Je vous supplie, épargnez-moi.

ELSBETH

Non, non, parlez, ou je ferme cette porte sur vous pour dix ans.

FANTASIO

Madame, je suis criblé de dettes ; mes créanciers ont obtenu un arrêt contre moi ; à l'heure où je vous parle, mes meubles sont vendus, et si je n'étais dans cette prison, je serais dans une autre. On a dû venir m'arrêter hier au soir ; ne sachant où passer la nuit, ni comment me soustraire aux poursuites des huissiers, j'ai imaginé de prendre ce costume et de venir me réfugier aux pieds du roi ; si vous me rendez la liberté, on va me prendre au collet ; mon oncle est un avare qui vit de pommes de terre et de radis, et qui me laisse mourir de faim dans tous les cabarets du royaume. Puisque vous voulez le savoir, je dois vingt mille écus.

ELSBETH

Tout cela est-il vrai ?

FANTASIO

Si je mens, je consens à les payer.

On entend un bruit de chevaux.

LA GOUVERNANTE

Voilà des chevaux qui passent ; c'est le roi en personne. Si je pouvais faire signe à un page ! *(Elle appelle par la fenêtre.)* Holà ! Flamel, où allez-vous donc ?

LE PAGE, *en dehors.*

Le prince de Mantoue va partir.

LA GOUVERNANTE

Le prince de Mantoue !

LE PAGE

Oui, la guerre est déclarée. Il y a eu entre lui et le roi une scène épouvantable devant toute la cour, et le mariage de la princesse est rompu.

ELSBETH

Entendez-vous cela, monsieur Fantasio ? vous avez fait manquer mon mariage.

LA GOUVERNANTE

Seigneur mon Dieu ! le prince de Mantoue s'en va, et je ne l'aurai pas vu ?

ELSBETH

Si la guerre est déclarée, quel malheur !

FANTASIO

Vous appelez cela un malheur, Altesse ? Aimeriez-vous mieux un mari qui prend fait et cause pour sa perruque ? Eh ! Madame, si la guerre est déclarée, nous saurons quoi faire de nos bras; les oisifs de nos promenades mettront leurs uniformes; moi-même je prendrai mon fusil de chasse, s'il n'est pas encore vendu. Nous irons faire un tour d'Italie, et, si vous entrez jamais à Mantoue, ce sera comme une véritable reine, sans qu'il y ait besoin pour cela d'autres cierges que nos épées.

ELSBETH

Fantasio, veux-tu rester le bouffon de mon père? Je te paie tes vingt mille écus.

FANTASIO

Je le voudrais de grand cœur; mais en vérité, si j'y étais forcé, je sauterais par la fenêtre, pour me sauver un de ces jours.

ELSBETH

Pourquoi? tu vois que Saint-Jean est mort; il nous faut absolument un bouffon.

FANTASIO

J'aime ce métier plus que tout autre; mais je ne puis faire aucun métier. Si vous trouvez que cela vaille vingt mille écus de vous avoir débarrassée du prince de Mantoue, donnez-les-moi et ne payez pas mes dettes. Un gentilhomme sans dettes ne saurait où se présenter. Il ne m'est jamais venu à l'esprit de me trouver sans dettes.

ELSBETH

Eh bien! je te les donne, mais prends la clef de mon jardin: le jour où tu t'ennuieras d'être poursuivi par tes créanciers, viens te cacher dans les bluets où je t'ai trouvé ce matin; aie soin de reprendre ta perruque et ton habit bariolé ; ne parais jamais devant mois sans cette taille contrefaite et ces grelots d'argent, car c'est ainsi que tu m'as plu : tu redeviendras mon bouffon pour le temps qu'il te plaira de l'être, et puis tu iras à tes affaires. Maintenant tu peux t'en aller, la porte est ouverte.

LA GOUVERNANTE

Est-il possible que le prince de Mantoue soit parti sans que je l'aie vu ?

LES CAPRICES DE MARIANNE

COMÉDIE

PERSONNAGES

CLAUDIO, juge.
MARIANNE, sa femme.
CŒLIO.
OCTAVE.
TIBIA, valet de CLAUDIO.
CIUTA, vieille femme.
HERMIA, mère de CŒLIO.
Domestiques.
MALVOLIO, intendant d'HERMIA.

Naples.

ACTE I

SCÈNE 1

Une rue devant la maison de Claudio
MARIANNE, *sortant de chez elle,*
un livre de messe à la main
CIUTA, *l'aborde*

CIUTA

Ma belle dame, puis-je vous dire un mot?

MARIANNE

Que me voulez-vous?

CIUTA

Un jeune homme de cette ville est éperdument amoureux de vous; depuis un mois entier, il cherche vainement l'occasion de vous l'apprendre. Son nom est Cœlio; il est d'une noble famille et d'une figure distinguée.

MARIANNE

En voilà assez. Dites à celui qui vous envoie qu'il perd son temps et sa peine, et que s'il a l'audace de me faire entendre une seconde fois un pareil langage, j'en instruirai mon mari.

Elle sort.

CŒLIO, *entrant.*

Eh bien ! Ciuta, qu'a-t-elle dit ?

CIUTA

Plus dévote et plus orgueilleuse que jamais. Elle instruira son mari, dit-elle, si on la poursuit plus longtemps.

CŒLIO

Ah ! malheureux que je suis ! je n'ai plus qu'à mourir. Ah ! la plus cruelle de toutes les femmes ! Et que me conseilles-tu, Ciuta ? quelle ressource puis-je encore trouver ?

CIUTA

Je vous conseille d'abord de sortir d'ici, car voici son mari qui la suit.

Ils sortent.
Entrent Claudio et Tibia.

CLAUDIO

Es-tu mon fidèle serviteur ? mon valet de chambre dévoué ? Apprends que j'ai à me venger d'un outrage.

TIBIA

Vous, monsieur !

CLAUDIO

Moi-même, puisque ces impudentes guitares ne cessent de murmurer sous les fenêtres de ma femme. Mais, patience ! tout n'est pas fini. — Écoute un peu de ce côté-ci : voilà du monde qui pourrait nous entendre. Tu m'iras chercher ce soir le spadassin que je t'ai dit.

TIBIA

Pour quoi faire ?

CLAUDIO

Je crois que Marianne a des amants.

TIBIA

Vous croyez, monsieur ?

CLAUDIO

Oui ; il y a autour de ma maison une odeur d'amants ; personne ne passe naturellement devant ma porte ; il y pleut des guitares et des entremetteuses.

TIBIA

Est-ce que vous pouvez empêcher qu'on donne des sérénades à votre femme ?

CLAUDIO

Non ; mais je puis poster un homme derrière la poterne, et me débarrasser du premier qui entrera.

TIBIA

Fi ! votre femme n'a pas d'amants. — C'est comme si vous disiez que j'ai des maîtresses.

CLAUDIO

Pourquoi n'en aurais-tu pas, Tibia ? Tu es fort laid, mais tu as beaucoup d'esprit.

TIBIA

J'en conviens, j'en conviens.

CLAUDIO

Regarde, Tibia, tu en conviens toi-même; il n'en faut plus douter, et mon déshonneur est public.

TIBIA

Pourquoi public?

CLAUDIO

Je te dis qu'il est public.

TIBIA

Mais, monsieur, votre femme passe pour un dragon de vertu dans toute la ville; elle ne voit personne, elle ne sort de chez elle que pour aller à la messe.

CLAUDIO

Laisse-moi faire. — Je ne me sens pas de colère, après tous les cadeaux qu'elle a reçus de moi! — Oui, Tibia, je machine en ce moment une épouvantable trame, et me sens prêt à mourir de douleur.

TIBIA

Oh! que non.

CLAUDIO

Quand je te dis quelque chose, tu me ferais plaisir de le croire.

Ils sortent.

CŒLIO, *rentrant.*

Malheur à celui qui, au milieu de la jeunesse, s'abandonne à un amour sans espoir ! Malheur à celui qui se livre à une douce rêverie, avant de savoir où sa chimère le mène, et s'il peut être payé de retour ! Mollement couché dans une barque, il s'éloigne peu à peu de la rive ; il aperçoit au loin des plaines enchantées, de vertes prairies et le mirage léger de son Eldorado. Les vents l'entraînent en silence, et quand la réalité le réveille, il est aussi loin du but où il aspire que du rivage qu'il a quitté ; il ne peut plus ni poursuivre sa route, ni revenir sur ses pas.

On entend un bruit d'instruments.

Quelle est cette mascarade ? N'est-ce pas Octave que j'aperçois ?

Entre Octave.

OCTAVE

Comment se porte, mon bon monsieur, cette gracieuse mélancolie ?

CŒLIO

Octave ! ô fou que tu es ! tu as un pied de rouge sur les joues. D'où te vient cet accoutrement ? N'as-tu pas de honte en plein jour !

OCTAVE

Ô Cœlio ! fou que tu es ! tu as un pied de blanc sur les joues ! D'où te vient ce large habit noir ? N'as-tu pas de honte en plein carnaval ?

CŒLIO

Quelle vie que la tienne ! ou tu es gris, ou je le suis moi-même.

OCTAVE

Ou tu es amoureux, ou je le suis moi-même.

CŒLIO

Plus que jamais de la belle Marianne.

OCTAVE

Plus que jamais de vin de Chypre.

CŒLIO

J'allais chez toi quand je t'ai rencontré.

OCTAVE

Et moi aussi j'allais chez moi. Comment se porte ma maison ? il y a huit jours que je ne l'ai vue.

CŒLIO

J'ai un service à te demander.

OCTAVE

Parle, Cœlio, mon cher enfant. Veux-tu de l'argent ? je n'en ai plus. Veux-tu des conseils ? je suis ivre. Veux-tu mon épée ? voilà une batte d'arlequin. Parle, parle, dispose de moi.

CŒLIO

Combien de temps cela durera-t-il ? huit jours hors de chez toi ! tu te tueras, Octave.

OCTAVE

Jamais de ma propre main, mon ami, jamais ; j'aimerais mieux mourir que d'attenter à mes jours.

CŒLIO

Et n'est-ce pas un suicide comme un autre, que la vie que tu mènes ?

OCTAVE

Figure-toi un danseur de corde, en brodequins d'argent, le balancier au poing, suspendu entre le ciel et la terre ; à droite et à gauche, de vieilles petites figures racornies, de maigres et pâles fantômes, des créanciers agiles, des parents et des courtisanes, toute une légion de monstres, se suspendent à son manteau, et le tiraillent de tous côtés pour lui faire perdre l'équilibre ; des phrases redondantes, de grands mots enchâssés cavalcadent autour de lui ; une nuée de prédictions sinistres l'aveugle de ses ailes noires. Il continue sa course légère de l'orient à l'occident. S'il regarde en bas, la tête lui tourne ; s'il regarde en haut, le pied lui manque. Il va plus vite que le vent, et toutes les mains tendues autour de lui ne lui feront pas renverser une goutte de la coupe joyeuse qu'il porte à la sienne. Voilà ma vie, mon cher ami ; c'est ma fidèle image que tu vois.

CŒLIO

Que tu es heureux d'être fou !

OCTAVE

Que tu es fou de ne pas être heureux ! dis-moi un peu, toi, qu'est-ce qui te manque ?

CŒLIO

Il me manque le repos, la douce insouciance qui fait de la vie un miroir où tous les objets se peignent un instant, et sur lequel tout glisse. Une dette pour moi est un remords. L'amour, dont, vous autres, vous faites un passe-temps, trouble ma vie entière. Ô mon ami, tu ignoreras toujours ce que c'est qu'aimer comme moi. Mon cabinet d'étude est désert ; depuis un mois, j'erre autour de cette maison la nuit et le jour. Quel charme j'éprouve, au lever de la lune, à conduire sous ces petits arbres, au fond de cette place, mon chœur modeste de musiciens, à marquer moi-même la mesure, à les entendre chanter la beauté de Marianne ! Jamais elle n'a paru à sa fenêtre ; jamais elle n'est venue appuyer son front charmant sur sa jalousie.

OCTAVE

Qui est cette Marianne ? est-ce que c'est ma cousine ?

CŒLIO

C'est elle-même, la femme du vieux Claudio.

OCTAVE

Je ne l'ai jamais vue. Mais à coup sûr, elle est ma cousine. Claudio est fait exprès. Confie-moi tes intérêts, Cœlio.

CŒLIO

Tous les moyens que j'ai tentés pour lui faire connaître mon amour ont été inutiles. Elle sort du couvent ; elle aime son mari, et respecte ses devoirs. Sa porte est fermée à tous les jeunes gens de la ville, et personne ne peut l'approcher.

OCTAVE

Ouais ! est-elle jolie ? — Sot que je suis ! tu l'aimes, cela n'importe guère. Que pourrions-nous imaginer ?

CŒLIO

Faut-il te parler franchement ? ne te riras-tu pas de moi ?

OCTAVE

Laisse-moi rire de toi, et parle franchement.

CŒLIO

En ta qualité de parent, tu dois être reçu dans la maison.

OCTAVE

Suis-je reçu ? je n'en sais rien. Admettons que je suis reçu. À te dire vrai, il y a une grande différence entre mon auguste famille et une botte d'asperges. Nous ne formons pas un faisceau bien serré, et nous ne tenons guère les uns aux autres que par écrit. Cependant Marianne connaît mon nom. Faut-il lui parler en ta faveur ?

CŒLIO

Vingt fois j'ai tenté de l'aborder ; vingt fois j'ai senti mes genoux fléchir en approchant d'elle. J'ai été forcé de lui envoyer la vieille Ciuta. Quand je la vois, ma gorge se serre, et j'étouffe, comme si mon cœur se soulevait jusqu'à mes lèvres.

OCTAVE

J'ai éprouvé cela. C'est ainsi qu'au fond des forêts, lorsqu'une biche avance à petits pas sur les feuilles sèches, et que le chasseur entend les bruyères glisser sur ses flancs inquiets, comme le frôlement d'une robe légère, les battements de cœur le prennent malgré lui ; il soulève son arme en silence, sans faire un pas et sans respirer.

CŒLIO

Pourquoi donc suis-je ainsi? n'est-ce pas une vieille maxime parmi les libertins, que toutes les femmes se ressemblent? pourquoi donc y a-t-il si peu d'amours qui se ressemblent? En vérité, je ne saurais aimer cette femme comme toi, Octave, tu l'aimerais, ou comme j'en aimerais une autre. Qu'est-ce donc pourtant que tout cela? deux yeux bleus, deux lèvres vermeilles, une robe blanche, et deux blanches mains. Pourquoi ce qui te rendrait joyeux et empressé, ce qui t'attirerait, toi, comme l'aiguille aimantée attire le fer, me rend-il triste et immobile! Qui pourrait dire : ceci est gai ou triste? La réalité n'est qu'une ombre. Appelle imagination ou folie ce qui la divinise. — Alors la folie est la beauté elle-même. Chaque homme marche enveloppé d'un réseau transparent qui le couvre de la tête aux pieds; il croit voir des bois et des fleuves, des visages divins, et l'universelle nature se teint sous ses regards des nuances infinies du tissu magique. Octave! Octave! viens à mon secours.

OCTAVE

J'aime ton amour, Cœlio, il divague dans ta cervelle comme un flacon syracusain. Donne-moi la main; je viens à ton secours, attends un peu. — L'air me frappe au visage, et les idées me reviennent. Je connais cette Marianne, elle me déteste fort, sans m'avoir jamais vu. C'est une mince poupée, qui marmotte des *ave* sans fin.

CŒLIO

Fais ce que tu voudras, mais ne me trompe pas, je t'en conjure; il est aisé de me tromper; je ne sais pas me défier d'une action que je ne voudrais pas faire moi-même.

OCTAVE

Si tu escaladais les murs?

CŒLIO

Entre elle et moi est une muraille imaginaire que je n'ai pu escalader.

OCTAVE

Si tu lui écrivais ?

CŒLIO

Elle déchire mes lettres, ou me les renvoie.

OCTAVE

Si tu en aimais une autre ! Viens avec moi chez Rosalinde.

CŒLIO

Le souffle de ma vie est à Marianne ; elle peut d'un mot de ses lèvres l'anéantir ou l'embraser. Vivre pour une autre me serait plus difficile que de mourir pour elle ; ou je réussirai, ou je me tuerai. Silence ! la voici qui rentre ; elle détourne la rue.

OCTAVE

Retire-toi, je vais l'aborder.

CŒLIO

Y penses-tu ? dans l'équipage ou te voilà ! essuie-toi le visage ; tu as l'air d'un fou.

OCTAVE

Voilà qui est fait. L'ivresse et moi, mon cher Cœlio, nous nous sommes trop chers l'un à l'autre pour nous jamais disputer ; elle fait mes volontés comme je fais les siennes. N'aie aucune crainte là-dessus ; c'est le fait d'un étudiant en vacance qui se grise un jour de grand dîner, de perdre la tête et de lutter avec le vin ; moi, mon caractère est d'être ivre, ma façon de penser est de me laisser faire, et je parlerais au roi en ce moment, comme je vais parler à ta belle.

CŒLIO

Je ne sais ce que j'éprouve. — Non ! ne lui parle pas.

OCTAVE

Pourquoi ?

CŒLIO

Je ne puis dire pourquoi ; il me semble que tu vas me tromper.

OCTAVE

Touche là. Je te jure sur mon honneur que Marianne sera à toi, ou à personne au monde, tant que j'y pourrai quelque chose.

Cœlio sort.

Entre MARIANNE. OCTAVE *l'aborde.*

OCTAVE

Ne vous détournez pas, princesse de beauté ! Laissez tomber vos regards sur le plus indigne de vos serviteurs.

MARIANNE

Qui êtes-vous ?

OCTAVE

Mon nom est Octave ; je suis cousin de votre mari.

MARIANNE

Venez-vous pour le voir ? entrez au logis ; il va revenir.

OCTAVE

Je ne viens pas pour le voir et n'entrerai point au logis, de peur que vous ne m'en chassiez tout à l'heure, quand je vous aurai dit ce qui m'amène.

MARIANNE

Dispensez-vous donc de le dire, et de m'arrêter plus longtemps.

OCTAVE

Je ne saurais m'en dispenser, et vous supplie de vous arrêter pour l'entendre. Cruelle Marianne ! vos yeux ont causé bien du mal, et vos paroles ne sont pas faites pour le guérir. Que vous avait fait Cœlio ?

MARIANNE

De qui parlez-vous, et quel mal ai-je causé ?

OCTAVE

Un mal le plus cruel de tous, car c'est un mal sans espérance ; le plus terrible, car c'est un mal qui se chérit lui-même, et repousse la coupe salutaire jusque dans la main de l'amitié ; un mal qui fait pâlir les lèvres sous des poisons plus doux que l'ambroisie, et qui fond en une pluie de larmes le cœur le plus dur, comme la perle de Cléopâtre ; un mal que tous les aromates, toute la science humaine ne sauraient soulager, et qui se nourrit du vent qui passe, du parfum d'une rose fanée, du refrain d'une chanson ; et qui suce l'éternel aliment de ses souffrances dans tout ce qui l'entoure, comme une abeille son miel dans tous les buissons d'un jardin.

MARIANNE

Me direz-vous le nom de ce mal ?

OCTAVE

Que celui qui est digne de le prononcer vous le dise ; que les rêves de vos nuits, que ces orangers verts, cette fraîche cascade vous l'apprennent ; que vous puissiez le chercher un beau soir, vous le trouverez sur vos lèvres ; son nom n'existe pas sans lui.

MARIANNE

Est-il si dangereux à dire, si terrible dans sa contagion, qu'il effraie une langue qui plaide en sa faveur ?

OCTAVE

Est-il si doux à entendre, cousine, que vous le demandiez ? Vous l'avez appris à Cœlio.

MARIANNE

C'est donc sans le vouloir ; je ne connais ni l'un ni l'autre.

OCTAVE

Que vous les connaissiez ensemble, et que vous ne les sépariez jamais, voilà le souhait de mon cœur.

MARIANNE

En vérité ?

OCTAVE

Cœlio est le meilleur de mes amis ; si je voulais vous faire envie, je vous dirais qu'il est beau comme le jour, jeune, noble, et je ne mentirais pas ; mais je ne veux que vous faire pitié, et je vous dirai qu'il est triste comme la mort, depuis le jour où il vous a vue.

MARIANNE

Est-ce ma faute s'il est triste ?

OCTAVE

Est-ce sa faute si vous êtes belle ? Il ne pense qu'à vous ; à toute heure, il rôde autour de cette maison ; n'avez-vous jamais entendu chanter sous vos fenêtres ? N'avez-vous jamais soulevé, à minuit, cette jalousie et ce rideau ?

MARIANNE

Tout le monde peut chanter le soir, et cette place appartient à tout le monde.

OCTAVE

Tout le monde aussi peut vous aimer ; mais personne ne peut vous le dire. Quel âge avez-vous, Marianne ?

MARIANNE

Voilà une jolie question, et si je n'avais dix-neuf ans, que voudriez-vous que j'en pense ?

OCTAVE

Vous avez donc encore cinq ou six ans pour être aimée, huit ou dix pour aimer vous-même, et le reste pour prier Dieu.

MARIANNE

Vraiment ? Eh bien ! pour mettre le temps à profit, j'aime Claudio, votre cousin et mon mari.

OCTAVE

Mon cousin et votre mari ne feront jamais à eux deux qu'un pédant de village ; vous n'aimez point Claudio.

MARIANNE

Ni Cœlio ; vous pouvez le lui dire.

OCTAVE

Pourquoi ?

MARIANNE

Pourquoi n'aimerais-je pas Claudio ? c'est mon mari.

OCTAVE

Pourquoi n'aimeriez-vous pas Cœlio ? c'est votre amant.

MARIANNE

Me direz-vous aussi pourquoi je vous écoute ? Adieu, seigneur Octave ; voilà une plaisanterie qui a duré assez longtemps.

Elle sort.

OCTAVE

Ma foi, ma foi ! elle a de beaux yeux.

Il sort.

SCÈNE 2

La maison de Cœlio
HERMIA, *plusieurs domestiques*, MALVOLIO

HERMIA

Disposez ces fleurs comme je vous l'ai ordonné ; a-t-on dit aux musiciens de venir ?

UN DOMESTIQUE

Oui, madame ; ils seront ici à l'heure du souper.

HERMIA

Ces jalousies fermées sont trop sombres ; qu'on laisse entrer le jour sans laisser entrer le soleil. — Plus de fleurs autour de ce lit ; le souper est-il bon ? Aurons-nous notre belle voisine, la comtesse Pergoli ? À quelle heure est sorti mon fils ?

MALVOLIO

Pour être sorti, il faudrait d'abord qu'il fût rentré. Il a passé la nuit dehors.

HERMIA

Vous ne savez ce que vous dites. — Il a soupé hier avec moi, et m'a ramenée ici. A-t-on fait porter dans le cabinet d'études, le tableau que j'ai acheté ce matin ?

MALVOLIO

Du vivant de son père, il n'en aurait pas été ainsi. Ne dirait-on pas que notre maîtresse a dix-huit ans, et qu'elle attend son Sigisbé ?

HERMIA

Mais du vivant de sa mère, il en est ainsi, Malvolio. Qui vous a chargé de veiller sur sa conduite? Songez-y : que Cœlio ne rencontre pas sur son passage un visage de mauvais augure; qu'il ne vous entende pas grommeler entre vos dents, comme un chien de basse-cour à qui l'on dispute l'os qu'il veut ronger, ou par le ciel, pas un de vous ne passera la nuit sous ce toit.

MALVOLIO

Je ne grommelle rien; ma figure n'est pas un mauvais présage, vous me demandez à quelle heure est sorti mon maître, et je vous réponds qu'il n'est pas rentré. Depuis qu'il a l'amour en tête, on ne le voit pas quatre fois la semaine.

HERMIA

Pourquoi ces livres sont-ils couverts de poussière? Pourquoi ces meubles sont-ils en désordre? Pourquoi faut-il que je mette ici la main à tout, si je veux obtenir quelque chose? Il vous appartient bien de lever les yeux sur ce qui ne vous regarde pas, lorsque votre ouvrage est à moitié fait, et que les soins dont on vous charge retombent sur les autres? Allez, et retenez votre langue.

Entre Cœlio.

Eh bien! mon cher enfant, quels seront vos plaisirs aujourd'hui?

Les domestiques se retirent.

CŒLIO

Les vôtres, ma mère.

Il s'assoit.

HERMIA

Eh quoi ? Les plaisirs communs, et non les peines communes ? C'est un partage injuste, Cœlio. Ayez des secrets pour moi, mon enfant, mais non pas de ceux qui vous rongent le cœur, et vous rendent insensible à tout ce qui vous entoure.

CŒLIO

Je n'ai point de secret, et plût à Dieu, si j'en avais, qu'ils fussent de nature à faire de moi une statue !

HERMIA

Quand vous aviez dix ou douze ans, toutes vos peines, tous vos petits chagrins se rattachaient à moi ; d'un regard sévère ou indulgent de ces yeux que voilà, dépendait la tristesse ou la joie des vôtres, et votre petite tête blonde tenait par un fil bien délié au cœur de votre mère. Maintenant, mon enfant, je ne suis plus que votre vieille sœur, incapable peut-être de soulager vos ennuis, mais non pas de les partager.

CŒLIO

Et vous aussi, vous avez été belle ! Sous ces cheveux argentés qui ombragent votre noble front, sous ce long manteau qui vous couvre, l'œil reconnaît encore le port majestueux d'une reine, et les formes gracieuses d'une Diane chasseresse. Ô ma mère ! vous avez inspiré l'amour ! Sous vos fenêtres entrouvertes a murmuré le son de la guitare ; sur ces places bruyantes, dans le tourbillon de ces fêtes, vous avez promené une insouciante et superbe jeunesse ; vous n'avez point aimé ; un parent de mon père est mort d'amour pour vous.

HERMIA

Quel souvenir me rappelles-tu ?

CŒLIO

Ah ! si votre cœur peut en supporter la tristesse, si ce n'est pas vous demander des larmes, racontez-moi cette aventure, ma mère, faites-m'en connaître les détails.

HERMIA

Votre père ne m'avait jamais vue alors. Il se chargea, comme allié de ma famille, de faire agréer la demande du jeune Orsini, qui voulait m'épouser. Il fut reçu comme le méritait son rang, par votre grand-père, et admis dans notre intimité. Orsini était un excellent parti, et cependant je le refusai. Votre père, en plaidant pour lui, avait tué dans mon cœur le peu d'amour qu'il m'avait inspiré pendant deux mois d'assiduités constantes. Je n'avais pas soupçonné la force de sa passion pour moi. Lorsqu'on lui apporta ma réponse, il tomba, privé de connaissance, dans les bras de votre père. Cependant une longue absence, un voyage qu'il entreprit alors, et dans lequel il augmenta sa fortune, devaient avoir dissipé ses chagrins. Votre père changea de rôle, et demanda pour lui ce qu'il n'avait pu obtenir pour Orsini. Je l'aimais d'un amour sincère, et l'estime qu'il avait inspirée à mes parents ne me permit pas d'hésiter. Le mariage fut décidé le jour même, et l'église s'ouvrit pour nous quelques semaines après. Orsini revint à cette époque. Il fut trouver votre père, l'accabla de reproches, l'accusa d'avoir trahi sa confiance, et d'avoir causé le refus qu'il avait essuyé. Du reste, ajouta-t-il, si vous avez désiré ma perte, vous serez satisfait. Épouvanté de ces paroles, votre père vint trouver le mien, et lui demander son témoignage pour désabuser Orsini.

— Hélas ! il n'était plus temps ; on trouva dans sa chambre le pauvre jeune homme traversé de part en part de plusieurs coups d'épée.

SCÈNE 3

Le jardin de Claudio
Entrent CLAUDIO *et* TIBIA

CLAUDIO

Tu as raison, et ma femme est un trésor de pureté. Que te dirais-je de plus ? c'est une vertu solide.

TIBIA

Vous croyez, monsieur ?

CLAUDIO

Peut-elle empêcher qu'on ne chante sous ses croisées ? Les signes d'impatience qu'elle peut donner dans son intérieur, sont les suites de son caractère. As-tu remarqué que sa mère, lorsque j'ai touché cette corde, a été tout d'un coup du même avis que moi ?

TIBIA

Relativement à quoi ?

CLAUDIO

Relativement à ce qu'on chante sous ses croisées.

TIBIA

Chanter n'est pas un mal, je fredonne moi-même à tout moment.

CLAUDIO

Mais bien chanter est difficile.

TIBIA

Difficile pour vous et pour moi, qui, n'ayant pas reçu de voix de la nature, ne l'avons jamais cultivée. Mais voyez comme ces acteurs de théâtre s'en tirent habilement.

CLAUDIO

Ces gens-là passent leur vie sur les planches.

TIBIA

Combien croyez-vous qu'on puisse donner par an ?

CLAUDIO

À qui ? à un juge de paix ?

TIBIA

Non, à un chanteur.

CLAUDIO

Je n'en sais rien. — On donne à un juge de paix le tiers de ce que vaut ma charge. Les conseillers de justice ont moitié.

TIBIA

Si j'étais juge en cour royale, et que ma femme eût des amants, je les condamnerais moi-même.

CLAUDIO

À combien d'années de galère ?

TIBIA

À la peine de mort. Un arrêt de mort est une chose superbe à lire à haute voix.

CLAUDIO

Ce n'est pas le juge qui le lit, c'est le greffier.

TIBIA

Le greffier de votre tribunal a une jolie femme.

CLAUDIO

Non, — c'est le président qui a une jolie femme ; j'ai soupé hier avec eux.

TIBIA

Le greffier aussi ! Le spadassin qui va venir ce soir est l'amant de la femme du greffier.

CLAUDIO

Quel spadassin ?

TIBIA

Celui que vous avez demandé.

CLAUDIO

Il est inutile qu'il vienne après ce que je t'ai dit tout à l'heure.

TIBIA

À quel sujet ?

CLAUDIO

Au sujet de ma femme.

TIBIA

La voici qui vient elle-même.

Entre Marianne.

MARIANNE

Savez-vous ce qui m'arrive pendant que vous courez les champs ? J'ai reçu la visite de votre cousin.

CLAUDIO

Qui cela peut-il être ? Nommez-le par son nom.

MARIANNE

Octave, qui m'a fait une déclaration d'amour, de la part de son ami Cœlio. Qui est ce Cœlio ? Connaissez-vous cet homme ? Trouvez bon que ni lui ni Octave ne mettent les pieds dans cette maison.

CLAUDIO

Je le connais ; c'est le fils d'Hermia, notre voisine. Qu'avez-vous répondu à cela ?

MARIANNE

Il ne s'agit pas de ce que j'ai répondu. Comprenez-vous ce que je dis ? Donnez ordre à vos gens qu'ils ne laissent entrer ni cet homme ni son ami. Je m'attends à quelque importunité de leur part, et suis bien aise de l'éviter.

Elle sort.

CLAUDIO

Que penses-tu de cette aventure, Tibia ? Il y a quelque ruse là-dessous.

TIBIA

Vous croyez, monsieur!

CLAUDIO

Pourquoi n'a-t-elle pas voulu dire ce qu'elle a répondu? La déclaration est impertinente, il est vrai; mais la réponse mérite d'être connue. J'ai le soupçon que ce Cœlio est l'ordonnateur de toutes ces guitares.

TIBIA

Défendre votre porte à ces deux hommes, est un moyen excellent de les éloigner.

CLAUDIO

Rapporte-t'en à moi : — Il faut que je fasse part de cette découverte à ma belle-mère. J'imagine que ma femme me trompe, et que toute cette fable est une pure invention pour me faire prendre le change, et troubler entièrement mes idées.

Ils sortent.

ACTE II

SCÈNE 1

Une rue
Entrent OCTAVE *et* CIUTA

OCTAVE

Il y renonce, dites-vous ?

CIUTA

Hélas ! pauvre jeune homme ! il aime plus que jamais, et sa mélancolie se trompe elle-même sur les désirs qui la nourrissent. Je croirais presque qu'il se défie de vous, de moi, de tout ce qui l'entoure.

OCTAVE

Non, par le ciel ! je n'y renoncerai pas ; je me sens moi-même une autre Marianne, et il y a du plaisir à être entêté. Ou Cœlio réussira, ou j'y perdrai ma langue.

CIUTA

Agirez-vous contre sa volonté ?

OCTAVE

Oui, pour agir d'après la mienne, qui est sa sœur aînée, et pour envoyer aux enfers messer Claudio le juge, que je déteste, méprise et abhorre depuis les pieds jusqu'à la tête.

CIUTA

Je lui porterai donc votre réponse, et, quant à moi, je cesse de m'en mêler.

OCTAVE

Je suis comme un homme qui tient la banque d'un pharaon pour le compte d'un autre, et qui a la veine contre lui; il noierait plutôt son meilleur ami que de céder, et la colère de perdre avec l'argent d'autrui l'enflamme cent fois plus que ne le ferait sa propre ruine.

Entre Cœlio.

Comment, Cœlio, tu abandonnes la partie!

CŒLIO

Que veux-tu que je fasse?

OCTAVE

Te défies-tu de moi? Qu'as-tu? Te voilà pâle comme la neige. Que se passe-t-il en toi?

CŒLIO

Pardonne-moi, pardonne-moi! Fais ce que tu voudras; va trouver Marianne. — Dis-lui que me tromper, c'est me donner la mort, et que ma vie est dans ses yeux.

Il sort.

OCTAVE

Par le ciel, voilà qui est étrange !

CIUTA

Silence ! vêpres sonnent ; la grille du jardin vient de s'ouvrir, Marianne sort. — Elle approche lentement. *(Ciuta se retire.)*

Entre Marianne.

OCTAVE

Belle Marianne, vous dormirez tranquille. — Le cœur de Cœlio est à une autre, et ce n'est plus sous vos fenêtres qu'il donnera ses sérénades.

MARIANNE

Quel dommage ! et quel grand malheur de n'avoir pu partager un amour comme celui-là ! Voyez ! comme le hasard me contrarie. Moi qui allais l'aimer.

OCTAVE

En vérité ?

MARIANNE

Oui, sur mon âme, ce soir ou demain matin, dimanche au plus tard, je lui appartenais. Qui pourrait ne pas réussir avec un ambassadeur tel que vous ? Il faut croire que sa passion pour moi était quelque chose comme du chinois ou de l'arabe, puisqu'il lui fallait un interprète, et qu'elle ne pouvait s'expliquer toute seule.

OCTAVE

Raillez, raillez! nous ne vous craignons plus.

MARIANNE

Ou peut-être que cet amour n'était encore qu'un pauvre enfant à la mamelle, et vous, comme une sage nourrice, en le menant à la lisière, vous l'aurez laissé tomber la tête la première en le promenant par la ville.

OCTAVE

La sage nourrice s'est contentée de lui faire boire d'un certain lait que la vôtre vous a versé sans doute, et généreusement; vous en avez encore sur les lèvres une goutte qui se mêle à toutes vos paroles.

MARIANNE

Comment s'appelle ce lait merveilleux?

OCTAVE

L'indifférence. Vous ne pouvez ni aimer ni haïr, et vous êtes comme les roses du Bengale, Marianne, sans épine et sans parfum.

MARIANNE

Bien dit. Aviez-vous préparé d'avance cette comparaison? Si vous ne brûlez pas le brouillon de vos harangues, donnez-le-moi de grâce, que je les apprenne à ma perruche.

OCTAVE

Qu'y trouvez-vous qui puisse vous blesser? Une fleur sans parfum n'en est pas moins belle; bien au contraire, ce sont les plus belles que Dieu a faites ainsi ; et le jour ou, comme une Galatée d'une nouvelle espèce, vous deviendrez de marbre au fond de quelque église, ce sera une charmante statue que vous ferez, et qui ne laissera pas que de trouver quelque niche respectable dans un confessionnal.

MARIANNE

Mon cher cousin, est-ce que vous ne plaignez pas le sort des femmes ? Voyez un peu ce qui m'arrive. Il est décrété par le sort que Cœlio m'aime, ou qu'il croit m'aimer, lequel Cœlio le dit à ses amis, lesquels amis décrètent à leur tour que, sous peine de mort, je serai sa maîtresse. La jeunesse napolitaine daigne m'envoyer en votre personne un digne représentant, chargé de me faire savoir que j'aie à aimer ledit seigneur Cœlio d'ici à une huitaine de jours. Pesez cela, je vous en prie. Si je me rends, que dira-t-on de moi ? N'est-ce pas une femme bien abjecte que celle qui obéit à point nommé, à l'heure convenue, à une pareille proposition ? Ne va-t-on pas la déchirer à belles dents, la montrer au doigt, et faire de son nom le refrain d'une chanson à boire ? Si elle refuse au contraire, est-il un monstre qui lui soit comparable ? Est-il une statue plus froide qu'elle, et l'homme qui lui parle, qui ose l'arrêter en place publique son livre de messe à la main, n'a-t-il pas le droit de lui dire : Vous êtes une rose du Bengale, sans épine et sans parfum ?

OCTAVE

Cousine, cousine, ne vous fâchez pas.

MARIANNE

N'est-ce pas une chose bien ridicule que l'honnêteté et la foi jurée ? que l'éducation d'une fille, la fierté d'un cœur qui s'est figuré qu'il vaut quelque chose, et qu'avant de jeter au vent la poussière de sa fleur chérie, il faut que le calice en soit baigné de larmes, épanoui par quelques rayons de soleil, entrouvert par une main délicate ? Tout cela n'est-il pas un rêve, une bulle de savon que le premier soupir d'un cavalier à la mode doit évaporer dans les airs ?

OCTAVE

Vous vous méprenez sur mon compte et sur celui de Cœlio.

MARIANNE

Qu'est-ce après tout qu'une femme ? L'occupation d'un moment, une coupe fragile qui renferme une goutte de rosée, qu'on porte à ses lèvres et qu'on jette par-dessus son épaule. Une femme ! c'est une partie de plaisir ! Ne pourrait-on pas dire quand on en rencontre une : Voilà une belle nuit qui passe ? Et ne serait-ce pas un grand écolier en de telles matières, que celui qui baisserait les yeux devant elle, qui se dirait tout bas : « Voilà peut-être le bonheur d'une vie entière », et qui la laisserait passer ?

Elle sort.

OCTAVE, *seul.*

Tra, tra, poum ! poum ! tra deri la la. Quelle drôle de petite femme ! Hai ! holà ! *(Il frappe à une auberge.)* Apportez-moi ici, sous cette tonnelle, une bouteille de quelque chose.

LE GARÇON

Ce qui vous plaira, excellence. Voulez-vous du lacryma-christi ?

OCTAVE

Soit, soit. Allez-vous-en un peu chercher dans les rues d'alentour le seigneur Cœlio, qui porte un manteau noir et des culottes plus noires encore. Vous lui direz qu'un de ses amis est là, qui boit tout seul du lacryma-christi. Après quoi, vous irez à la grande place, et vous m'apporterez une certaine Rosalinde qui est rousse et qui est toujours à sa fenêtre.

Le garçon sort.

Je ne sais ce que j'ai dans la gorge ; je suis triste comme une procession. *(Buvant.)* Je ferai aussi bien de dîner ici ; voilà le jour qui baisse. Drig ! drig ! quel ennui que ces vêpres ! est-ce que j'ai envie de dormir ? Je me sens tout pétrifié.

Entrent Claudio et Tibia.

Cousin Claudio, vous êtes un beau juge ; où allez-vous si couramment ?

CLAUDIO

Qu'entendez-vous par là, seigneur Octave ?

OCTAVE

J'entends que vous êtes un magistrat qui a de belles formes.

CLAUDIO

De langage, ou de complexion ?

OCTAVE

De langage, de langage. Votre perruque est pleine d'éloquence, et vos jambes sont deux charmantes parenthèses.

CLAUDIO

Soit dit en passant, seigneur Octave, le marteau de ma porte m'a tout l'air de vous avoir brûlé les doigts.

OCTAVE

En quelle façon, juge plein de science?

CLAUDIO

En y voulant frapper, cousin plein de finesse.

OCTAVE

Ajoute hardiment plein de respect, juge, pour le marteau de ta porte : mais tu peux le faire peindre à neuf, sans que je craigne de m'y salir les doigts.

CLAUDIO

En quelle façon, cousin plein de facéties?

OCTAVE

En n'y frappant jamais, juge plein de causticité.

CLAUDIO

Cela vous est pourtant arrivé, puisque ma femme a enjoint à ses gens de vous fermer la porte au nez à la première occasion.

OCTAVE

Tes lunettes sont myopes, juge plein de grâce; tu te trompes d'adresse dans ton compliment.

CLAUDIO

Mes lunettes sont excellentes, cousin plein de riposte; n'as-tu pas fait à ma femme une déclaration amoureuse?

OCTAVE

À quelle occasion, subtil magistrat?

CLAUDIO

À l'occasion de ton ami Cœlio, cousin; malheureusement j'ai tout entendu.

OCTAVE

Par quelle oreille, sénateur incorruptible?

CLAUDIO

Par celle de ma femme, qui m'a tout raconté, godelureau chéri.

OCTAVE

Tout absolument, juge idolâtré? Rien n'est resté dans cette charmante oreille?

CLAUDIO

Il y est resté sa réponse, charmant pilier de cabaret, que je suis chargé de te faire.

OCTAVE

Je ne suis pas chargé de l'entendre, cher procès-verbal.

CLAUDIO

Ce sera donc ma porte en personne qui te la fera, aimable croupier de roulette, si tu t'avises de la consulter.

OCTAVE

C'est ce dont je ne me soucie guère, chère sentence de mort, je vivrai heureux sans cela.

CLAUDIO

Puisses-tu le faire en repos, cher cornet de passe-dix! je te souhaite mille prospérités.

OCTAVE

Rassure-toi sur ce sujet, cher verrou de prison ! je dors tranquille comme une audience.

Sortent Claudio et Tibia.

OCTAVE, *seul.*

Il me semble que voilà Cœlio qui s'avance de ce côté. Cœlio ! Cœlio ! À qui diable en a-t-il ?

Entre Cœlio.

Sais-tu, mon cher ami, le beau tour que nous joue ta princesse ? Elle a tout dit à son mari !

CŒLIO

Comment le sais-tu ?

OCTAVE

Par la meilleure de toutes les voies possibles. Je quitte à l'instant Claudio. Marianne nous fera fermer la porte au nez, si nous nous avisons de l'importuner davantage.

CŒLIO

Tu l'as vue tout à l'heure ; que t'avait-elle dit ?

OCTAVE

Rien qui pût me faire pressentir cette douce nouvelle ; rien d'agréable cependant. Tiens, Cœlio, renonce à cette femme. Holà ! un second verre !

CŒLIO

Pour qui ?

OCTAVE

Pour toi. Marianne est une bégueule; je ne sais trop ce qu'elle m'a dit ce matin, je suis resté comme une brute sans pouvoir lui répondre. Allons! n'y pense plus; voilà qui est convenu; et que le ciel m'écrase si je lui adresse jamais la parole. Du courage, Cœlio, n'y pense plus.

CŒLIO

Adieu, mon cher ami.

OCTAVE

Où vas-tu?

CŒLIO

J'ai affaire en ville ce soir.

OCTAVE

Tu as l'air d'aller te noyer. Voyons, Cœlio, à quoi penses-tu? Il y a d'autres Mariannes sous le ciel. Soupons ensemble, et moquons-nous de cette Marianne-là.

CŒLIO

Adieu, adieu, je ne puis m'arrêter plus longtemps. Je te verrai demain, mon ami.

Il sort.

OCTAVE

Cœlio! écoute donc! nous te trouverons une Marianne bien gentille, douce comme un agneau, et n'allant point à vêpres surtout! Ah! les maudites cloches ! quand auront-elles fini de me mener en terre ?

LE GARÇON, *rentrant.*

Monsieur, la demoiselle rousse n'est point à sa fenêtre ; elle ne peut se rendre à votre invitation.

OCTAVE

La peste soit de tout l'univers ! Est-il donc décidé que je souperai seul aujourd'hui ? La nuit arrive en poste ; que diable vais-je devenir ? Bon ! bon ! ceci me convient. *(Il boit.)* Je suis capable d'ensevelir ma tristesse dans ce vin, ou du moins ce vin dans ma tristesse. Ah ! ah ! les vêpres sont finies ; voici Marianne qui revient.

Entre Marianne.

MARIANNE

Encore ici, seigneur Octave ? et déjà à table ? C'est un peu triste de s'enivrer tout seul.

OCTAVE

Le monde entier m'a abandonné ; je tâche d'y voir double, afin de me servir à moi-même de compagnie.

MARIANNE

Comment ! pas un de vos amis, pas une de vos maîtresses, qui vous soulage de ce fardeau terrible, la solitude ?

OCTAVE

Faut-il vous dire ma pensée ? J'avais envoyé chercher une certaine Rosalinde, qui me sert de maîtresse ; elle soupe en ville comme une personne de qualité.

MARIANNE

C'est une fâcheuse affaire sans doute, et votre cœur en doit ressentir un vide effroyable.

OCTAVE

Un vide que je ne saurais exprimer, et que je communique en vain à cette large coupe. Le carillon des vêpres m'a fendu le crâne pour toute l'après-dîner.

MARIANNE

Dites-moi, cousin, est-ce du vin à quinze sous la bouteille que vous buvez ?

OCTAVE

N'en riez pas ; ce sont les larmes de Christ en personne.

MARIANNE

Cela m'étonne que vous ne buviez pas du vin à quinze sous, buvez-en, je vous en supplie.

OCTAVE

Pourquoi en boirais-je, s'il vous plaît ?

MARIANNE

Goûtez-en ; je suis sûre qu'il n'y a aucune différence avec celui-là.

OCTAVE

Il y en a une aussi grande qu'entre le soleil et une lanterne.

MARIANNE

Non, vous dis-je, c'est la même chose.

OCTAVE

Dieu m'en préserve ! vous moquez-vous de moi ?

MARIANNE

Vous trouvez qu'il y a une grande différence ?

OCTAVE

Assurément.

MARIANNE

Je croyais qu'il en était du vin comme des femmes. Une femme n'est-elle pas aussi un vase précieux, scellé comme ce flacon de cristal ? Ne renferme-t-elle pas une ivresse grossière ou divine, selon sa force et sa valeur ? Et n'y a-t-il pas parmi elles le vin du peuple et les larmes du Christ ? Quel misérable cœur est-ce donc que le vôtre, pour que vos lèvres lui fassent la leçon ? Vous ne boiriez pas le vin que boit le peuple ; vous aimez les femmes qu'il aime ; l'esprit généreux et poétique de ce flacon doré, ces sucs merveilleux que la lave du Vésuve a cuvés sous son ardent soleil, vous conduiront chancelant et sans force dans les bras d'une fille de joie ; vous rougiriez de boire un vin grossier ; votre gorge se soulèverait. Ah ! vos lèvres sont délicates, mais votre cœur s'enivre à bon marché. Bonsoir, cousin ; puisse Rosalinde rentrer ce soir chez elle !

OCTAVE

Deux mots, de grâce, belle Marianne, et ma réponse sera courte. Combien de temps pensez-vous qu'il faille faire la cour à la bouteille que vous voyez, pour obtenir ses faveurs ? Elle est, comme vous dites, toute pleine d'un esprit céleste, et le vin du peuple lui ressemble aussi peu qu'un paysan à son seigneur. Cependant regardez comme elle se laisse faire ! — Elle n'a reçu, j'imagine, aucune éducation, elle n'a aucun principe ; voyez comme elle est bonne fille ! Un mot a suffi pour la faire sortir du couvent ; toute poudreuse encore, elle s'en est échappée pour me donner un quart d'heure d'oubli, et mourir. Sa couronne virginale, empourprée de cire odorante, est aussitôt tombée en poussière, et, je ne puis vous le cacher, elle a failli passer tout entière sur mes lèvres dans la chaleur de son premier baiser.

MARIANNE

Êtes-vous sûr qu'elle en vaut davantage ? et si vous êtes un de ses vrais amants, n'iriez-vous pas, si la recette en était perdue, en chercher la dernière goutte jusque dans la bouche du volcan ?

OCTAVE

Elle n'en vaut ni plus ni moins. Elle sait qu'elle est bonne à boire et qu'elle est faite pour être bue. Dieu n'en a pas caché la source au sommet d'un pic inabordable, au fond d'une caverne profonde : il l'a suspendue en grappes dorées au bord de nos chemins ; elle y fait le métier des courtisanes, elle y effleure la main du passant ; elle y étale aux rayons du soleil sa gorge rebondie, et tout une cour d'abeilles et de frelons murmure autour d'elle matin et soir. Le voyageur dévoré de soif peut se coucher sous ses rameaux verts : jamais elle ne l'a laissé languir, jamais elle ne lui a refusé les douces larmes dont son cœur est plein. Ah ! Marianne, c'est un don fatal que la beauté ! — La sagesse dont elle se vante est sœur de l'avarice, et il y a plus de miséricorde dans le ciel pour ses faiblesses que pour sa cruauté. Bonsoir, cousine ; puisse Cœlio vous oublier !

Il rentre dans l'auberge, et Marianne dans sa maison.

SCÈNE 2

Une autre rue

CŒLIO, CIUTA

CIUTA

Seigneur Cœlio, défiez-vous d'Octave. Ne vous a-t-il pas dit que la belle Marianne lui avait fermé sa porte ?

CŒLIO

Assurément. — Pourquoi m'en défierais-je ?

CIUTA

Tout à l'heure, en passant dans sa rue, je l'ai vu en conversation avec elle sous une tonnelle couverte.

CŒLIO

Qu'y a-t-il d'étonnant à cela ? Il aura épié ses démarches et saisi un moment favorable pour lui parler de moi.

CIUTA

J'entends qu'ils se parlaient amicalement et comme gens qui sont de bon accord ensemble.

CŒLIO

En es-tu sûre, Ciuta ? Alors je suis le plus heureux des hommes ; il aura plaidé ma cause avec chaleur.

CIUTA

Puisse le ciel vous favoriser !

Elle sort.

CŒLIO

Ah ! que je fusse né dans le temps des tournois et des batailles ! Qu'il m'eût été permis de porter les couleurs de Marianne et de les teindre de mon sang ! Qu'on m'eût donné un rival à combattre, une armée entière à défier ! Que le sacrifice de ma vie eût pu lui être utile ! Je sais agir, mais je ne puis parler. Ma langue ne sert point mon cœur, et je mourrai sans m'être fait comprendre, comme un muet dans une prison.

Il sort.

SCÈNE 3

Chez Claudio

CLAUDIO, MARIANNE

CLAUDIO

Pensez-vous que je sois un mannequin, et que je me promène sur la terre pour servir d'épouvantail aux oiseaux ?

MARIANNE

D'où vous vient cette gracieuse idée ?

CLAUDIO

Pensez-vous qu'un juge criminel ignore la valeur des mots, et qu'on puisse se jouer de sa crédulité, comme de celle d'un danseur ambulant ?

MARIANNE

À qui en avez-vous ce soir ?

CLAUDIO

Pensez-vous que je n'ai pas entendu vos propres paroles : Si cet homme ou son ami se présente à ma porte, qu'on la lui fasse fermer ? et croyez-vous que je trouve convenable de vous voir converser librement avec lui sous une tonnelle, lorsque le soleil est couché ?

MARIANNE

Vous m'avez vue sous une tonnelle ?

CLAUDIO

Oui, oui, de ces yeux que voilà, sous la tonnelle d'un cabaret ! La tonnelle d'un cabaret n'est point un lieu de conversation pour la femme d'un magistrat, et il est inutile de faire fermer sa porte, quand on se renvoie le dé en plein air avec si peu de retenue.

MARIANNE

Depuis quand m'est-il défendu de causer avec un de vos parents ?

CLAUDIO

Quand un de mes parents est un de vos amants, il est fort bien fait de s'en abstenir.

MARIANNE

Octave ! un de mes amants ? Perdez-vous la tête ? Il n'a de sa vie fait la cour à personne.

CLAUDIO

Son caractère est vicieux. — C'est un coureur de tabagies.

MARIANNE

Raison de plus pour qu'il ne soit pas, comme vous dites fort agréablement, *un de mes amants*. — Il me plaît de parler à Octave sous la tonnelle d'un cabaret.

CLAUDIO

Ne me poussez pas à quelque fâcheuse extrémité par vos extravagances, et réfléchissez à ce que vous faites.

MARIANNE

À quelle extrémité voulez-vous que je vous pousse ? Je suis curieuse de savoir ce que vous feriez ?

CLAUDIO

Je vous défendrais de le voir, et d'échanger avec lui aucune parole, soit dans ma maison, soit dans une maison tierce, soit en plein air.

MARIANNE

Ah ! ah ! vraiment ! Voilà qui est nouveau ; Octave est mon parent tout autant que le vôtre ; je prétends lui parler quand bon me semblera, en plein air ou ailleurs, et dans cette maison, s'il lui plaît d'y venir.

CLAUDIO

Souvenez-vous de cette dernière phrase que vous venez de prononcer. Je vous ménage un châtiment exemplaire, si vous allez contre ma volonté.

MARIANNE

Trouvez bon que j'aille d'après la mienne, et ménagez-moi ce qui vous plaît. Je m'en soucie comme de cela.

CLAUDIO

Marianne, brisons cet entretien. Ou vous sentirez l'inconvenance de s'arrêter sous une tonnelle, ou vous me réduirez à une violence qui répugne à mon habit. *(Il sort.)*

MARIANNE, *seule.*

Holà ! quelqu'un !

Un domestique entre.

Voyez-vous là-bas dans cette rue ce jeune homme assis devant une table, sous cette tonnelle ? Allez lui dire que j'ai à lui parler, et qu'il prenne la peine d'entrer dans ce jardin. *(Le domestique sort.)*
Voilà qui est nouveau ! Pour qui me prend-on ? Quel mal y a-t-il donc ? Comment suis-je donc faite aujourd'hui ? Voilà une robe affreuse. Qu'est-ce que cela signifie ? — Vous me réduirez à la violence ! Quelle violence ? Je voudrais que ma mère fût là. Ah, bah ! elle est de son avis, dès qu'il dit un mot. J'ai une envie de battre quelqu'un ! *(Elle renverse les chaises.)* Je suis bien sotte en vérité. Voilà Octave qui vient. — Je voudrais qu'il le rencontrât. — Ah ! c'est donc là le commencement ? On me l'avait prédit. — Je le savais. — Je m'y attendais ! Patience, patience. Il me ménage un châtiment ! et lequel, par hasard ? Je voudrais bien savoir ce qu'il veut dire.

Entre Octave.

Asseyez-vous, Octave, j'ai à vous parler.

OCTAVE

Où voulez-vous que je m'assoie ? Toutes les chaises sont les quatre fers en l'air. — Que vient-il donc de se passer ici ?

MARIANNE

Rien du tout.

OCTAVE

En vérité, cousine, vos yeux disent le contraire.

MARIANNE

J'ai réfléchi à ce que vous m'avez dit sur le compte de votre ami Cœlio. Dites-moi, pourquoi ne s'explique-t-il pas lui-même ?

OCTAVE

Par une raison assez simple. — Il vous a écrit, et vous avez déchiré ses lettres. Il vous a envoyé quelqu'un, et vous lui avez fermé la bouche. Il vous a donné des concerts, vous l'avez laissé dans la rue. Ma foi, il s'est donné au diable, et on s'y donnerait à moins.

MARIANNE

Cela veut dire qu'il a songé à vous ?

OCTAVE

Oui.

MARIANNE

Eh bien ! parlez-moi de lui.

OCTAVE

Sérieusement ?

MARIANNE

Oui, oui, sérieusement. Me voilà. J'écoute.

OCTAVE

Vous voulez rire ?

MARIANNE

Quel pitoyable avocat êtes-vous donc ? Parlez, que je veuille rire ou non.

OCTAVE

Que regardez-vous à droite et à gauche ? En vérité, vous êtes en colère.

MARIANNE

Je veux prendre un amant, Octave... sinon un amant, du moins un cavalier. Qui me conseillez-vous ? Je m'en rapporte à votre choix. — Cœlio ou tout autre, peu m'importe ; — dès demain, — dès ce soir, — celui qui aura la fantaisie de chanter sous mes fenêtres, trouvera ma porte entrouverte. Eh bien ! vous ne parlez pas ? Je vous dis que je prends un amant. Tenez, voilà mon écharpe en gage : — qui vous voudrez, la rapportera.

OCTAVE

Marianne ! quelle que soit la raison qui a pu vous inspirer une minute de complaisance, puisque vous m'avez appelé, puisque vous consentez à m'entendre, au nom du ciel, restez la même une minute encore, permettez-moi de vous parler !

Il se jette à genoux.

MARIANNE

Que voulez-vous me dire ?

OCTAVE

Si jamais homme au monde a été digne de vous comprendre, digne de vivre et de mourir pour vous, cet homme est Cœlio. Je n'ai jamais valu grand-chose, et je me rends cette justice, que la passion dont je fais l'éloge, trouve un misérable interprète. Ah ! si vous saviez sur quel autre sacré vous êtes adorée comme un Dieu ! Vous, si belle, si jeune, si pure encore, livrée à un vieillard qui n'a plus de sens, et qui n'a jamais eu de cœur ! si vous saviez quel trésor de bonheur, quelle mine féconde repose en vous ! en lui ! dans cette fraîche aurore de jeunesse, dans cette rosée céleste de la vie, dans ce premier accord de deux âmes jumelles ! Je ne vous parle pas de sa souffrance, de cette douce et triste mélancolie qui ne s'est jamais lassée de vos rigueurs, et qui en mourrait sans se plaindre. Oui, Marianne, il en mourra. Que puis-je vous dire ? qu'inventerais-je pour donner à mes paroles la force qui leur manque ? Je ne sais pas le langage de l'amour. Regardez dans votre âme ; c'est elle qui peut vous parler de la sienne. Y a-t-il un pouvoir capable de vous toucher ? Vous qui savez supplier Dieu, existe-t-il une prière qui puisse rendre ce dont mon cœur est plein ?

MARIANNE

Relevez-vous, Octave. En vérité, si quelqu'un entrait ici, ne croirait-on pas, à vous entendre, que c'est pour vous que vous plaidez ?

OCTAVE

Marianne ! Marianne ! au nom du ciel, ne souriez pas ! ne fermez pas votre cœur au premier éclair qui l'ait peut-être traversé ! Ce caprice de bonté, ce moment précieux va s'évanouir. — Vous avez prononcé le nom de Cœlio ; vous avez pensé à lui, dites-vous. Ah ! si c'est une fantaisie, ne me la gâtez pas. — Le bonheur d'un homme en dépend.

MARIANNE

Êtes-vous sûr qu'il ne me soit pas permis de sourire ?

OCTAVE

Oui, vous avez raison ; je sais tout le tort que mon amitié peut faire. Je sais qui je suis, je le sens ; un pareil langage dans ma bouche a l'air d'une raillerie. Vous doutez de la sincérité de mes paroles ; jamais peut-être je n'ai senti avec plus d'amertume qu'en ce moment le peu de confiance que je puis inspirer.

MARIANNE

Pourquoi cela ? vous voyez que j'écoute. Cœlio me déplaît ; je ne veux pas de lui. Parlez-moi de quelque autre, de qui vous voudrez. Choisissez-moi dans vos amis un cavalier digne de moi ; envoyez-le-moi, Octave. Vous voyez que je m'en rapporte à vous.

OCTAVE

Ô femme trois fois femme ! Cœlio vous déplaît, — mais le premier venu vous plaira. L'homme qui vous aime depuis un mois, qui s'attache à vos pas, qui mourrait de bon cœur sur un mot de votre bouche, celui-là vous déplaît ! Il est jeune, beau, riche et digne en tout point de vous ; mais il vous déplaît ! et le premier venu vous plaira !

MARIANNE

Faites ce que je vous dis, ou ne me revoyez pas.

Elle sort.

OCTAVE, *seul.*

Ton écharpe est bien jolie, Marianne, et ton petit caprice de colère est un charmant traité de paix. — Il ne me faudrait pas beaucoup d'orgueil pour le comprendre : un peu de perfidie suffirait. Ce sera pourtant Cœlio qui en profitera.

Il sort.

SCÈNE 4

Chez Cœlio
CŒLIO, *un domestique*

CŒLIO

Il est en bas, dites-vous ? Qu'il monte. Pourquoi ne le faites-vous pas monter sur-le-champ ?

Entre Octave.

Eh bien ! mon ami, quelle nouvelle ?

OCTAVE

Attache ce chiffon à ton bras droit, Cœlio ; prends ta guitare et ton épée. — Tu es l'amant de Marianne.

CŒLIO

Au nom du ciel, ne te ris pas de moi.

OCTAVE

La nuit est belle ; — la lune va paraître à l'horizon. Marianne est seule, et sa porte est entrouverte. Tu es un heureux garçon, Cœlio.

CŒLIO

Est-ce vrai ? — est-ce vrai ? Ou tu es ma vie, Octave, ou tu es sans pitié.

OCTAVE

Tu n'es pas encore parti ? Je te dis que tout est convenu. Une chanson sous la fenêtre ; cache-toi un peu le nez dans ton manteau, afin que les espions du mari ne te reconnaissent pas. Sois sans crainte, afin qu'on te craigne ; et si elle résiste, prouve-lui qu'il est un peu tard.

CŒLIO

Ah ! mon Dieu, le cœur me manque.

OCTAVE

Et à moi aussi, car je n'ai dîné qu'à moitié. — Pour récompense de mes peines, dis en sortant qu'on me monte à souper. *(Il s'assoit.)* As-tu du tabac turc ? Tu me retrouveras probablement ici demain matin. Allons, mon ami, en route ! tu m'embrasseras en revenant. En route ! en route ! la nuit s'avance.

Cœlio sort.

OCTAVE, *seul.*

Écris sur tes tablettes, Dieu juste, que cette nuit doit m'être comptée dans ton paradis. Est-ce bien vrai que tu as un paradis ? En vérité cette femme était belle, et sa petite colère lui allait bien. D'où venait-elle ? c'est ce que j'ignore. Qu'importe comment la bille d'ivoire tombe sur le numéro que nous avons appelé ? Souffler une maîtresse à son ami, c'est une rouerie trop commune pour moi. Marianne ou toute autre, qu'est-ce que cela me fait ? La véritable affaire est de souper ; il est clair que Cœlio est à jeun. Comme tu m'aurais détesté, Marianne, si je t'avais aimée ! comme tu m'aurais fermé ta porte ! comme ton bélître de mari t'aurait paru un Adonis, un Sylvain, en comparaison de moi ! Où est donc la raison de tout cela ? pourquoi la fumée de cette pipe va-t-elle à droite plutôt qu'à gauche ? Voilà la raison de tout. — Fou ! trois fois fou à lier, celui qui calcule ses chances, qui met la raison de son côté! La justice céleste tient une balance dans ses mains. La balance est parfaitement juste, mais tous les poids sont creux. Dans l'un il y a une pistole, dans l'autre un soupir amoureux, dans celui-là une migraine, dans celui-ci il y a le temps qu'il fait, et toutes les actions humaines s'en vont de haut en bas selon ces poids capricieux.

Un domestique entrant.

LE DOMESTIQUE

Monsieur, voilà une lettre à votre adresse; elle est si pressée que vos gens l'ont apportée ici; on a recommandé de vous la remettre, en quelque lieu que vous fussiez ce soir.

OCTAVE

Voyons un peu cela.

Il lit.

« Ne venez pas ce soir. Mon mari a entouré la maison d'assassins, et vous êtes perdu s'ils vous trouvent.

« Marianne. »

Malheureux que je suis! qu'ai-je fait? Mon manteau! mon chapeau! Dieu veuille qu'il soit encore temps! suivez-moi, vous et tous les domestiques qui sont debout à cette heure. Il s'agit de la vie de votre maître.

Il sort en courant.

SCÈNE 5

Le jardin de Claudio. Il est nuit
CLAUDIO, *deux spadassins,* TIBIA

CLAUDIO

Laissez-le entrer, et jetez-vous sur lui dès qu'il sera parvenu à ce bosquet.

TIBIA

Et s'il entre par l'autre côté ?

CLAUDIO

Alors, attendez-le au coin du mur.

UN SPADASSIN

Oui, monsieur.

TIBIA

Le voilà qui arrive. Tenez, monsieur. Voyez comme son ombre est grande ! c'est un homme d'une belle stature.

CLAUDIO

Retirons-nous à l'écart, et frappons quand il en sera temps.

Entre Cœlio.

CŒLIO, *frappant à la jalousie.*

Marianne, Marianne, êtes-vous là ?

MARIANNE, *paraissant à la fenêtre.*

Fuyez, Octave, vous n'avez donc pas reçu ma lettre ?

CŒLIO

Seigneur mon Dieu ! quel nom ai-je entendu ?

MARIANNE

La maison est entourée d'assassins ; mon mari vous a vu entrer ce soir ; il a écouté notre conversation, et votre mort est certaine, si vous restez une minute encore.

CŒLIO

Est-ce un rêve ? suis-je Cœlio ?

MARIANNE

Octave, Octave, au nom du ciel, ne vous arrêtez pas. Puisse-t-il être encore temps de vous échapper ! Demain, trouvez-vous, à midi, dans un confessionnal de l'église, j'y serai.

La jalousie se referme.

CŒLIO

Ô mort ! puisque tu es là, viens donc à mon secours. Octave, traître Octave, puisse mon sang retomber sur toi ! Puisque tu savais quel sort m'attendait ici, et que tu m'y as envoyé à ta place, tu seras satisfait dans ton désir. Ô mort ! je t'ouvre les bras ; voici le terme de mes maux.

Il sort. On entend des cris étouffés et un bruit éloigné dans le jardin.

OCTAVE, *en dehors.*

Ouvrez, ou j'enfonce les portes.

CLAUDIO, *ouvrant, son épée sous le bras.*

Que voulez-vous ?

OCTAVE

Où est Cœlio ?

CLAUDIO

Je ne pense pas que son habitude soit de coucher dans cette maison.

OCTAVE

Si tu l'as assassiné, Claudio, prends garde à toi; je te tordai le cou de ces mains que voilà.

CLAUDIO

Êtes-vous fou ou somnambule?

OCTAVE

Ne l'es-tu pas, toi-même, pour te promener à cette heure, ton épée sous le bras!

CLAUDIO

Cherchez dans ce jardin, si bon vous semble; je n'y ai vu entrer personne; et si quelqu'un l'a voulu faire, il me semble que j'avais le droit de ne pas lui ouvrir.

OCTAVE, *à ses gens.*

Venez, et cherchez partout.

CLAUDIO, *bas à Tibia.*

Tout est-il fini, comme je l'ai ordonné?

TIBIA

Oui, monsieur; soyez en repos, ils peuvent chercher tant qu'ils voudront.

Tous sortent.

SCÈNE 6

Un cimetière
OCTAVE *et* MARIANNE, *auprès d'un tombeau.*

OCTAVE

Moi seul au monde je l'ai connu. Cette urne d'albâtre, couverte de ce long voile de deuil, est sa parfaite image. C'est ainsi qu'une douce mélancolie voilait les perfections de cette âme tendre et délicate. Pour moi seul, cette vie silencieuse n'a point été un mystère. Les longues soirées que nous avons passées ensemble sont comme de fraîches oasis dans un désert aride ; elles ont versé sur mon cœur les seules gouttes de rosée qui y soient jamais tombées. Cœlio était la bonne partie de moi-même ; elle est remontée au ciel avec lui. C'était un homme d'un autre temps ; il connaissait les plaisirs, et leur préférait la solitude ; il savait combien les illusions sont trompeuses, et il préférait ses illusions à la réalité. Elle eût été heureuse, la femme qui l'eût aimé.

MARIANNE

Ne serait-elle point heureuse, Octave, la femme qui t'aimerait ?

OCTAVE

Je ne sais point aimer ; Cœlio seul le savait. La cendre que renferme cette tombe est tout ce que j'ai aimé sur la terre, tout ce que j'aimerai. Lui seul savait verser dans une autre âme toutes les sources de bonheur qui reposaient dans la sienne. Lui seul était capable d'un dévouement sans bornes ; lui seul eût consacré sa vie entière à la femme qu'il aimait, aussi facilement qu'il aurait bravé la mort pour elle. Je ne suis qu'un débauché sans cœur ; je n'estime point les femmes ; l'amour que j'inspire est comme celui que je ressens, l'ivresse passagère d'un songe. Je ne sais pas les secrets qu'il savait. Ma gaieté est comme le masque d'un histrion ; mon cœur est plus vieux qu'elle, mes sens blasés n'en veulent plus. Je ne suis qu'un lâche ; sa mort n'est point vengée.

MARIANNE

Comment aurait-elle pu l'être, à moins de risquer votre vie ? Claudio est trop vieux pour accepter un duel, et trop puissant dans cette ville pour rien craindre de vous.

OCTAVE

Cœlio m'aurait vengé si j'étais mort pour lui, comme il est mort pour moi. Ce tombeau m'appartient; c'est moi qu'ils ont étendu sous cette froide pierre; c'est pour moi qu'ils avaient aiguisé leurs épées; c'est moi qu'ils ont tué. Adieu la gaieté de ma jeunesse, l'insouciante folie, la vie libre et joyeuse au pied du Vésuve! adieu les bruyants repas, les causeries du soir, les sérénades sous les balcons dorés! adieu Naples et ses femmes, les mascarades à la lueur des torches, les longs soupers à l'ombre des forêts! adieu l'amour et l'amitié! ma place est vide sur la terre!

MARIANNE

Mais non pas dans mon cœur, Octave. Pourquoi dis-tu : Adieu l'amour?

OCTAVE

Je ne vous aime pas, Marianne; c'était Cœlio qui vous aimait.

IL NE FAUT JURER DE RIEN

PROVERBE

PERSONNAGES

VAN BUCK, négociant.
VALENTIN VAN BUCK, son neveu.
UN ABBÉ.
UN MAÎTRE DE DANSE.
UN AUBERGISTE.
UN GARÇON.
LA BARONNE DE MANTES.
CÉCILE, sa fille.

La scène est à Paris.

ACTE I

SCÈNE 1

La chambre de Valentin
VALENTIN *assis. Entre* VAN BUCK

VAN BUCK

Monsieur mon neveu, je vous souhaite le bonjour.

VALENTIN

Monsieur mon oncle, votre serviteur.

VAN BUCK

Restez assis ; j'ai à vous parler.

VALENTIN

Asseyez-vous ; j'ai donc à vous entendre. Veuillez vous mettre dans la bergère, et poser là votre chapeau.

VAN BUCK, *s'asseyant.*

Monsieur mon neveu, la plus longue patience et la plus robuste obstination doivent, l'une et l'autre, finir tôt ou tard. Ce qu'on tolère devient intolérable, incorrigible ce qu'on ne corrige pas ; et qui vingt fois a jeté la perche à un fou qui veut se noyer, peut être forcé un jour ou l'autre de l'abandonner ou de périr avec lui.

VALENTIN

Oh ! oh ! voilà qui est débuter, et vous avez là des métaphores qui se sont levées de grand matin.

VAN BUCK

Monsieur, veuillez garder le silence, et ne pas vous permettre de me plaisanter. C'est vainement que les plus sages conseils, depuis trois ans, tentent de mordre sur vous. Une insouciance ou une fureur aveugle, des résolutions sans effet, mille prétextes inventés à plaisir, une maudite condescendance, tout ce que j'ai pu ou puis faire encore (mais, par ma barbe ! je ne ferai plus rien !)... Où me menez-vous à votre suite ? Vous êtes aussi entêté...

VALENTIN

Mon oncle Van Buck, vous êtes en colère.

VAN BUCK

Non, monsieur, n'interrompez pas. Vous êtes aussi obstiné que je me suis, pour mon malheur, montré crédule et patient. Est-il croyable, je vous le demande, qu'un jeune homme de vingt-cinq ans passe son temps comme vous le faites ? De quoi servent mes remontrances, et quand prendrez-vous un état ? Vous êtes pauvre, puisqu'au bout du compte vous n'avez de fortune que la mienne ; mais, finalement, je ne suis pas moribond, et je digère encore vertement. Que comptez-vous faire d'ici à ma mort ?

VALENTIN

Mon oncle Van Buck, vous êtes en colère, et vous allez vous oublier.

VAN BUCK

Non, monsieur, je sais ce que je fais; si je suis le seul de la famille qui se soit mis dans le commerce, c'est grâce à moi, ne l'oubliez pas, que les débris d'une fortune détruite ont pu encore se relever. Il vous sied bien de sourire quand je parle; si je n'avais pas vendu du guingan à Anvers, vous seriez maintenant à l'hôpital, avec votre robe de chambre à fleurs. Mais, Dieu merci, vos chiennes de bouillottes...

VALENTIN

Mon oncle Van Buck, voilà le trivial; vous changez de ton; vous vous oubliez; vous aviez mieux commencé que cela.

VAN BUCK

Sacrebleu! tu te moques de moi. Je ne suis bon apparemment qu'à payer tes lettres de change? J'en ai reçu une ce matin : soixante louis! Te railles-tu des gens? il te sied bien de faire le fashionable (que le diable soit des mots anglais!) quand tu ne peux pas payer ton tailleur! C'est autre chose de descendre d'un beau cheval pour retrouver au fond d'un hôtel une bonne famille opulente, ou de sauter à bas d'un carrosse de louage pour grimper deux ou trois étages. Avec tes gilets de satin, tu demandes, en rentrant du bal, ta chandelle à ton portier, et il regimbe quand il n'a pas eu ses étrennes. Dieu sait si tu les lui donnes tous les ans! Lancé dans un monde plus riche que toi, tu puises chez tes amis le dédain de toi-même; tu portes ta barbe en pointe et tes cheveux sur les épaules, comme si tu n'avais pas seulement de quoi acheter un ruban pour te faire une queue. Tu écrivailles dans les gazettes, tu es capable de te faire saint-simonien quand tu n'auras plus ni sou ni maille, et cela viendra, je t'en réponds. Va, va, un écrivain public est plus estimable que toi. Je finirai par te couper les vivres, et tu mourras dans un grenier.

VALENTIN

Mon bon oncle Van Buck, je vous respecte et je vous aime. Faites-moi la grâce de m'écouter. Vous avez payé ce matin une lettre de change à mon intention. Quand vous êtes venu, j'étais à la fenêtre, et je vous ai vu arriver; vous méditiez un sermon juste aussi long qu'il y a d'ici chez vous. Épargnez, de grâce, vos paroles. Ce que vous pensez, je le sais; ce que vous dites, vous ne le pensez pas toujours; ce que vous faites, je vous en remercie. Que j'aie des dettes et que je ne sois bon à rien, cela se peut; qu'y voulez-vous faire? Vous avez soixante mille livres de rente...

VAN BUCK

Cinquante.

VALENTIN

Soixante, mon oncle; vous n'avez pas d'enfants, et vous êtes plein de bonté pour moi. Si j'en profite, où est le mal? Avec soixante bonnes mille livres de rente...

VAN BUCK

Cinquante, cinquante; pas un denier de plus.

VALENTIN

Soixante; vous me l'avez dit vous-même.

VAN BUCK

Jamais. Où as-tu pris cela?

VALENTIN

Mettons cinquante. Vous êtes jeune, gaillard encore, et bon vivant. Croyez-vous que cela me fâche, et que j'aie soif de votre bien ? Vous ne me faites pas tant d'injure, et vous savez que les mauvaises têtes n'ont pas toujours les plus mauvais cœurs. Vous me querellez de ma robe de chambre : vous en avez porté bien d'autres. Ma barbe en pointe ne veut pas dire que je sois un saint-simonien : je respecte trop l'héritage. Vous vous plaignez de mes gilets ; voulez-vous qu'on sorte en chemise ? Vous me dites que je suis pauvre, et que mes amis ne le sont pas ; tant mieux pour eux, ce n'est pas ma faute. Vous imaginez qu'ils me gâtent et que leur exemple me rend dédaigneux : je ne le suis que de ce qui m'ennuie, et puisque vous payez mes dettes, vous voyez bien que je n'emprunte pas. Vous me reprochez d'aller en fiacre : c'est que je n'ai pas de voiture. Je prends, dites-vous, en rentrant, ma chandelle chez mon portier : c'est pour ne pas monter sans lumière ; à quoi bon se casser le cou ? Vous voudriez me voir un état : faites-moi nommer premier ministre, et vous verrez comme je ferai mon chemin. Mais quand je serai surnuméraire dans l'entresol d'un avoué, je vous demande ce que j'y apprendrai, sinon que tout est vanité. Vous dites que je joue à la bouillotte : c'est que j'y gagne quand j'ai brelan ; mais soyez sûr que je n'y perds pas plus tôt que je me repends de ma sottise. Ce serait, dites-vous, autre chose, si je descendais d'un beau cheval, pour entrer dans un bon hôtel : je le crois bien ; vous en parlez à votre aise. Vous ajoutez que vous êtes fier, quoique vous ayez vendu du guingan ; et plût à Dieu que j'en vendisse ! ce serait la preuve que je pourrais en acheter. Pour ma noblesse, elle m'est aussi chère qu'elle peut vous l'être à vous-même ; mais c'est pourquoi je ne m'attèle pas, ni plus que moi les chevaux de pur sang. Tenez, mon oncle, ou je me trompe, ou vous n'avez pas déjeuné. Vous êtes resté le cœur à jeun sur cette maudite lettre de change; avalons-la de compagnie, je vais demander le chocolat.

Il sonne. On sert à déjeuner.

VAN BUCK

Quel déjeuner! Le diable m'emporte! tu vis comme un prince.

VALENTIN

Eh! que voulez-vous? quand on meurt de faim, il faut bien tâcher de se distraire.

Ils s'attablent.

VAN BUCK

Je suis sûr que, parce que je me mets là, tu te figures que je te pardonne.

VALENTIN

Moi? pas du tout. Ce qui me chagrine, lorsque vous êtes irrité, c'est qu'il vous échappe malgré vous des expressions d'arrière-boutique. Oui, sans le savoir, vous vous écartez de cette fleur de politesse qui vous distingue particulièrement; mais quand ce n'est pas devant témoins, vous comprenez que je ne vais pas le dire.

VAN BUCK

C'est bon, c'est bon, il ne m'échappe rien. Mais brisons là, et parlons d'autre chose; tu devrais bien te marier.

VALENTIN

Seigneur, mon Dieu! qu'est-ce que vous dites?

VAN BUCK

Donne-moi à boire. Je dis que tu prends de l'âge, et que tu devrais te marier.

VALENTIN

Mais, mon oncle, qu'est-ce que je vous ai fait ?

VAN BUCK

Tu m'as fait des lettres de change. Mais quand tu ne m'aurais rien fait, qu'a donc le mariage de si effroyable ? Voyons, parlons sérieusement. Tu serais, parbleu, bien à plaindre quand on te mettrait ce soir dans les bras une jolie fille bien élevée, avec cinquante mille écus sur ta table pour t'égayer demain matin au réveil. Voyez un peu le grand malheur, et comme il y a de quoi faire l'ombrageux ! Tu as des dettes, je te les paierais ; une fois marié, tu te rangeras. Mademoiselle de Mantes a tout ce qu'il faut...

VALENTIN

Mademoiselle de Mantes ! Vous plaisantez ?

VAN BUCK

Puisque son nom m'est échappé, je ne plaisante pas. C'est d'elle qu'il s'agit, et si tu veux...

VALENTIN

Et si elle veut. C'est comme dit la chanson :

Je sais bien qu'il ne tiendrait qu'à moi
De l'épouser, si elle voulait.

VAN BUCK

Non ; c'est de toi que cela dépend. Tu es agréé ; tu lui plais.

VALENTIN

Je ne l'ai jamais vue de ma vie.

VAN BUCK

Cela ne fait rien; je te dis que tu lui plais.

VALENTIN

En vérité?

VAN BUCK

Je t'en donne ma parole.

VALENTIN

Eh bien donc! elle me déplaît.

VAN BUCK

Pourquoi?

VALENTIN

Par la même raison que je lui plais.

VAN BUCK

Cela n'a pas le sens commun, de dire que les gens nous déplaisent, quand nous ne les connaissons pas.

VALENTIN

Comme de dire qu'ils nous plaisent. Je vous en prie, ne parlons plus de cela.

VAN BUCK

Mais, mon ami, en y réfléchissant (donne-moi à boire), il faut faire une fin.

VALENTIN

Assurément, il faut mourir une fois dans sa vie.

VAN BUCK

J'entends qu'il faut prendre un parti, et se caser. Que deviendras-tu? Je t'en avertis, un jour ou l'autre, je te laisserai là malgré moi. Je n'entends pas que tu me ruines, et si tu veux être mon héritier, encore faut-il que tu puisses m'attendre. Ton mariage me coûterait, c'est vrai, mais une fois pour toutes, et moins en somme que tes folies. Enfin, j'aime mieux me débarrasser de toi; pense à cela: veux-tu une jolie femme, tes dettes payées et vivre en repos?

VALENTIN

Puisque vous y tenez, mon oncle, et que vous parlez sérieusement, sérieusement je vais vous répondre; prenez du pâté, et écoutez-moi.

VAN BUCK

Voyons, quel est ton sentiment?

VALENTIN

Sans vouloir remonter bien haut, ni vous lasser par trop de préambules, je commencerai par l'Antiquité. Est-il besoin de vous rappeler la manière dont fut traité un homme qui ne l'avait mérité en rien, qui toute sa vie fut d'humeur douce, jusqu'à reprendre, même après sa faute, celle qui l'avait si outrageusement trompé? Frère d'ailleurs d'un puissant monarque, et couronné bien mal à propos...

VAN BUCK

De qui diantre me parles-tu?

VALENTIN

De Ménélas, mon oncle.

VAN BUCK

Que le diable t'emporte et moi avec ! Je suis bien sot de t'écouter.

VALENTIN

Pourquoi ? Il me semble tout simple...

VAN BUCK

Maudit gamin ! cervelle fêlée ! il n'y a pas moyen de te faire dire un mot qui ait le sens commun. *(Il se lève.)* Allons ! finissons ! en voilà assez. Aujourd'hui la jeunesse ne respecte rien.

VALENTIN

Mon oncle Van Buck, vous allez vous mettre en colère.

VAN BUCK

Non, monsieur ; mais, en vérité, c'est une chose inconcevable. Imagine-t-on qu'un homme de mon âge serve de jouet à un bambin ? Me prends-tu pour ton camarade, et faudra-t-il te répéter...

VALENTIN

Comment ! mon oncle, est-il possible que vous n'ayez jamais lu Homère ?

VAN BUCK, *se rasseyant.*

Eh bien ! quand je l'aurais lu ?

VALENTIN

Vous me parlez de mariage ; il est tout simple que je vous cite le plus grand mari de l'Antiquité.

VAN BUCK

Je me soucie bien de tes proverbes. Veux-tu répondre sérieusement ?

VALENTIN

Soit ; trinquons à cœur ouvert ; je ne serai compris de vous que si vous voulez bien ne pas m'interrompre. Je ne vous ai pas cité Ménélas pour faire parade de ma science, mais pour ne pas nommer beaucoup d'honnêtes gens ; faut-il m'expliquer sans réserve ?

VAN BUCK

Oui, sur-le-champ, ou je m'en vais.

VALENTIN

J'avais seize ans, et je sortais du collège, quand une belle dame de notre connaissance me distingua pour la première fois. À cet âge-là, peut-on savoir ce qui est innocent ou criminel ? J'étais un soir chez ma maîtresse, au coin du feu, son mari en tiers. Le mari se lève et dit qu'il va sortir. À ce mot, un regard rapide, échangé entre ma belle et moi, me fait bondir le cœur de joie. Nous allions être seuls ! Je me retourne, et vois le pauvre homme mettant ses gants. Ils étaient en daim de couleur verdâtre, trop larges, et décousus au pouce. Tandis qu'il y enfonçait ses mains, debout au milieu de la chambre, un imperceptible sourire passa sur le coin des lèvres de la femme, et dessina comme une ombre légère les deux fossettes de ses joues. L'œil d'un amant voit seul de tels sourires, car on les sent plus qu'on ne les voit. Celui-ci m'alla jusqu'à l'âme, et je l'avalai comme un sorbet. Mais, par une bizarrerie étrange, le souvenir de ce moment de délices se lia invinciblement dans ma tête à celui de deux grosses mains rouges se débattant dans des gants verdâtres; et je ne sais ce que ces mains, dans leur opération confiante, avaient de triste et de piteux, mais je n'y ai jamais pensé depuis sans que le féminin sourire ne vînt me chatouiller le coin des lèvres, et j'ai juré que jamais femme au monde ne me ganterait de ces gants-là.

VAN BUCK

C'est-à-dire qu'en franc libertin, tu doutes de la vertu des femmes, et que tu as peur que les autres ne te rendent le mal que tu leur as fait.

VALENTIN

Vous l'avez dit; j'ai peur du diable, et je ne veux pas être ganté.

VAN BUCK

Bah! c'est une idée de jeune homme.

VALENTIN

Comme il vous plaira, c'est la mienne; dans une trentaine d'années, si j'y suis, ce sera une idée de vieillard, car je ne me marierai jamais.

VAN BUCK

Prétends-tu que toutes les femmes soient fausses, et que tous les maris soient trompés?

VALENTIN

Je ne prétends rien, et je n'en sais rien. Je prétends, quand je vais dans la rue, ne pas me jeter sous les roues des voitures; quand je dîne, ne pas manger de merlan; quand j'ai soif, ne pas boire dans un verre cassé, et, quand je vois une femme, ne pas l'épouser; et encore je ne suis pas sûr de n'être ni écrasé, ni étranglé, ni brèche-dent, ni...

VAN BUCK

Fi donc! mademoiselle de Mantes est sage et bien élevée; c'est une bonne petite fille.

VALENTIN

À Dieu ne plaise que j'en dise du mal! Elle est sans doute la meilleure du monde. Elle est bien élevée, dites-vous? Quelle éducation a-t-elle reçue? La conduit-on au bal, au spectacle, aux courses de chevaux? Sort-elle seule en fiacre, le matin, à midi, pour revenir à six heures? A-t-elle une femme de chambre adroite, un escalier dérobé? A-t-elle vu *La Tour de Nesle*, et lit-elle les romans de M. de Balzac? La mène-t-on, après un bon dîner, les soirs d'été, quand le vent est au sud, voir lutter aux Champs-Élysées dix ou douze gaillards nus, aux épaules carrées? A-t-elle pour maître un beau valseur, grave et frisé, au jarret prussien, qui lui serre les doigts quand elle a bu du punch? Reçoit-elle des visites en tête-à-tête, l'après-midi, sur un sopha élastique, sous le demi-jour d'un rideau rose? A-t-elle à sa porte un verrou doré, qu'on pousse du petit doigt en tournant la tête, et sur lequel retombe mollement une tapisserie sourde et muette? Met-elle son gant dans son verre lorsqu'on commence à passer le champagne? Fait-elle semblant d'aller au bal de l'Opéra, pour s'éclipser un quart d'heure, courir chez Musard, et revenir bâiller? Lui a-t-on appris, quand Rubini chante, à ne montrer que le blanc de ses yeux, comme une colombe amoureuse? Passe-t-elle l'été à la campagne chez une amie pleine d'expérience, qui en répond à sa famille, et qui, le soir, la laisse au piano, pour se promener sous les charmilles, en chuchotant avec un hussard ? Va-t-elle aux eaux ? A-t-elle des migraines ?

VAN BUCK

Jour de Dieu ! qu'est-ce que tu dis là !

VALENTIN

C'est que si elle ne sait rien de tout cela, on ne lui a pas appris grand-chose ; car, dès qu'elle sera femme, elle le saura, et alors qui peut rien prévoir ?

VAN BUCK

Tu as de singulières idées sur l'éducation des femmes. Voudrais-tu pas qu'on les suivît ?

VALENTIN

Non ; mais je voudrais qu'une jeune fille fût une herbe dans un bois, et non une plante dans une caisse. Allons, mon oncle, venez aux Tuileries, et ne parlons plus de tout cela.

VAN BUCK

Tu refuses mademoiselle de Mantes ?

VALENTIN

Pas plus qu'une autre, mais ni plus ni moins.

VAN BUCK

Tu me feras damner ; tu es incorrigible. J'avais les plus belles espérances ; cette fille-là sera très riche un jour ; tu me ruineras, et tu iras au diable ; voilà tout ce qui arrivera. Qu'est-ce que c'est ? Qu'est-ce que tu veux ?

VALENTIN

Vous donner votre canne et votre chapeau, pour prendre l'air, si cela vous convient.

VAN BUCK

Je me soucie bien de prendre l'air ! Je te déshérite, si tu refuses de te marier.

VALENTIN

Vous me déshéritez, mon oncle ?

VAN BUCK

Oui, par le ciel ! j'en fais serment ! Je serai aussi obstiné que toi, et nous verrons qui des deux cédera.

VALENTIN

Vous me déshéritez par écrit, ou seulement de vive voix ?

VAN BUCK

Par écrit, insolent que tu es !

VALENTIN

Et à qui laisserez-vous votre bien ? Vous fonderez donc un prix de vertu, ou un concours de grammaire latine ?

VAN BUCK

Plutôt que de me laisser ruiner par toi, je me ruinerai tout seul et à mon plaisir.

VALENTIN

Il n'y a plus de loterie ni de jeu ; vous ne pourrez jamais tout boire.

VAN BUCK

Je quitterai Paris ; je retournerai à Anvers ; je me marierai moi-même, s'il le faut, et je te ferai six cousins germains.

VALENTIN

Et moi, je m'en irai à Alger ; je me ferai trompette de dragons, j'épouserai une Éthiopienne, et je vous ferai vingt-quatre petits-neveux, noirs comme de l'encre, et bêtes comme des pots.

VAN BUCK

Jour de ma vie ! si je prends ma canne...

VALENTIN

Tout beau, mon oncle ! prenez garde, en frappant, de casser votre bâton de vieillesse.

VAN BUCK, *l'embrassant.*

Ah ! malheureux ! Tu abuses de moi !

VALENTIN

Écoutez-moi ; le mariage me répugne ; mais pour vous, mon bon oncle, je me déciderai à tout. Quelque bizarre que puisse vous sembler ce que je vais vous proposer, promettez-moi d'y souscrire sans réserve, et, de mon côté, j'engage ma parole.

VAN BUCK

De quoi s'agit-il ? Dépêche-toi.

VALENTIN

Promettez d'abord, je parlerai ensuite.

VAN BUCK

Je ne le puis pas sans rien savoir.

VALENTIN

Il le faut, mon oncle; c'est indispensable.

VAN BUCK

Eh bien! soit, je te le promets.

VALENTIN

Si vous voulez que j'épouse mademoiselle de Mantes, il n'y a pour cela qu'un moyen, c'est de me donner la certitude qu'elle ne me mettra jamais aux mains la paire de gants dont nous parlions.

VAN BUCK

Et que veux-tu que j'en sache?

VALENTIN

Il y a pour cela des probabilités qu'on peut calculer aisément. Convenez-vous que si j'avais l'assurance qu'on peut la séduire en huit jours, j'aurais grand tort de l'épouser?

VAN BUCK

Certainement. Quelle apparence?...

VALENTIN

Je ne vous demande pas un plus long délai. La baronne ne m'a jamais vu, non plus que la fille; vous allez faire atteler, et vous irez leur faire visite. Vous leur direz qu'à votre grand regret, votre neveu reste garçon ; j'arriverai au château une heure après vous, et vous aurez soin de ne pas me reconnaître ; voilà tout ce que je vous demande, le reste ne regarde que moi.

VAN BUCK

Mais tu m'effraies. Qu'est-ce que tu veux faire ? À quel titre te présenter ?

VALENTIN

C'est mon affaire ; ne me reconnaissez pas, voilà tout ce dont je vous charge. Je passerai huit jours au château ; j'ai besoin d'air, et cela me fera du bien. Vous y resterez si vous voulez.

VAN BUCK

Deviens-tu fou ? et que prétends-tu faire ? Séduire une jeune fille en huit jours ? Faire le galant sous un nom supposé ? La belle trouvaille ! Il n'y a pas de conte de fées où ces niaiseries ne soient rebattues. Me prends-tu pour un oncle du Gymnase ?

VALENTIN

Il est deux heures, allons-nous-en chez vous.

Ils sortent.

SCÈNE 2

Au château.

LA BARONNE, CÉCILE, UN ABBÉ, UN MAÎTRE DE DANSE

(La baronne, assise, cause avec l'abbé en faisant de la tapisserie. Cécile prend sa leçon de danse.)

LA BARONNE

C'est une chose assez singulière que je ne trouve pas mon peloton bleu.

L'ABBÉ

Vous le teniez il y a un quart d'heure; il aura roulé quelque part.

LE MAÎTRE DE DANSE

Si mademoiselle veut faire encore la poule, nous nous reposerons après cela.

CÉCILE

Je veux apprendre la valse à deux temps.

LE MAÎTRE DE DANSE

Madame la baronne s'y oppose. Ayez la bonté de tourner la tête, et de me faire des oppositions.

L'ABBÉ

Que pensez-vous, madame, du dernier sermon? ne l'avez-vous pas entendu?

LA BARONNE

C'est vert et rose, sur fond noir, pareil au petit meuble d'en haut.

L'ABBÉ

Plaît-il?

LA BARONNE

Ah! pardon, je n'y étais pas.

L'ABBÉ

J'ai cru vous y apercevoir.

LA BARONNE

Où donc ?

L'ABBÉ

À Saint-Roch, dimanche dernier.

LA BARONNE

Mais oui, très bien. Tout le monde pleurait ; le baron ne faisait que se moucher. Je m'en suis allée à la moitié, parce que ma voisine avait des odeurs, et que je suis dans ce moment-ci entre les bras des homéopathes.

LE MAÎTRE DE DANSE

Mademoiselle, j'ai beau vous le dire, vous ne faites pas d'oppositions. Détournez donc légèrement la tête, et arrondissez-moi les bras.

CÉCILE

Mais, monsieur, quand on veut ne pas tomber, il faut bien regarder devant soi.

LE MAÎTRE DE DANSE

Fi donc ! C'est une chose horrible. Tenez, voyez ; y a-t-il rien de plus simple ? Regardez-moi ; est-ce que je tombe ? Vous allez à droite, vous regardez à gauche ; vous allez à gauche, vous regardez à droite ; il n'y a rien de plus naturel.

LA BARONNE

C'est une chose inconcevable que je ne trouve pas mon peloton bleu.

CÉCILE

Maman, pourquoi ne voulez-vous donc pas que j'apprenne la valse à deux temps ?

LA BARONNE

Parce que c'est indécent. Avez-vous lu *Jocelyn* ?

L'ABBÉ

Oui, madame, il y a de beaux vers ; mais le fond, je vous l'avouerai...

LA BARONNE

Le fond est noir ; tout le petit meuble l'est ; vous verrez cela sur du palissandre.

CÉCILE

Mais, maman, miss Clary valse bien, et mesdemoiselles de Raimbaut aussi.

LA BARONNE

Miss Clary est anglaise, mademoiselle. Je suis sûre, l'abbé, que vous vous êtes assis dessus.

L'ABBÉ

Moi, madame ! sur miss Clary !

LA BARONNE

Eh ! c'est mon peloton, le voilà. Non, c'est du rouge ; où est-il passé ?

L'ABBÉ

Je trouve la scène de l'évêque fort belle ; il y a certainement du génie, beaucoup de talent, et de la facilité.

CÉCILE

Mais, maman, de ce qu'on est anglaise, pourquoi est-ce décent de valser ?

LA BARONNE

Il y a aussi un roman que j'ai lu, qu'on m'a envoyé de chez Mongie. Je ne sais plus le nom, ni de qui c'était. L'avez-vous lu ? C'est assez bien écrit.

L'ABBÉ

Oui, madame. Il semble qu'on ouvre la grille. Attendez-vous quelque visite ?

LA BARONNE

Ah ! c'est vrai ; Cécile, écoutez.

LE MAÎTRE DE DANSE

Madame la baronne veut vous parler, mademoiselle.

L'ABBÉ

Je ne vois pas entrer de voiture ; ce sont des chevaux qui vont sortir.

CÉCILE, *s'approchant.*

Vous m'avez appelée, maman ?

LA BARONNE

Non. Ah ! oui. Il va venir quelqu'un ; baissez-vous donc que je vous parle à l'oreille. C'est un parti. Êtes-vous coiffée ?

CÉCILE

Un parti ?

LA BARONNE

Oui, très convenable. — Vingt-cinq à trente ans, ou plus jeune ; non, je n'en sais rien ; très bien ; allez danser.

CÉCILE

Mais, maman, je voulais vous dire...

LA BARONNE

C'est incroyable où est allé ce peloton. Je n'en ai qu'un de bleu, et il faut qu'il s'envole.

Entre Van Buck.

VAN BUCK

Madame la Baronne, je vous souhaite le bonjour. Mon neveu n'a pu venir avec moi ; il m'a chargé de vous présenter ses regrets, et d'excuser son manque de parole.

LA BARONNE

Ah, bah ! vraiment ? il ne vient pas ? Voilà ma fille qui prend sa leçon ; permettez-vous qu'elle continue ? Je l'ai fait descendre, parce que c'est trop petit chez elle.

VAN BUCK

J'espère bien ne déranger personne. Si mon écervelé de neveu...

LA BARONNE

Vous ne voulez pas boire quelque chose ? Asseyez-vous donc. Comment allez-vous ?

VAN BUCK

Mon neveu, madame, est bien fâché...

LA BARONNE

Écoutez donc que je vous dise. L'abbé, vous nous restez, pas vrai ? Eh bien ! Cécile, qu'est-ce qui t'arrive ?

LE MAÎTRE DE DANSE

Mademoiselle est lasse, madame.

LA BARONNE

Chansons ! si elle était au bal, et qu'il fût quatre heures du matin, elle ne serait pas lasse, c'est clair comme le jour. Dites-moi donc, vous : *(bas à Van Buck)* est-ce que c'est manqué ?

VAN BUCK

J'en ai peur; et s'il faut tout dire...

LA BARONNE

Ah, bah ! il refuse ? Eh bien ! c'est joli.

VAN BUCK

Mon dieu, madame, n'allez pas croire qu'il y ait là de ma faute en rien. Je vous jure bien par l'âme de mon père...

LA BARONNE

Enfin il refuse, pas vrai ? C'est manqué ?

VAN BUCK

Mais, madame, si je pouvais, sans mentir...

LA BARONNE

On entend un grand tumulte au dehors.

Qu'est-ce que c'est ? regardez donc, l'abbé.

L'ABBÉ

Madame, c'est une voiture versée devant la porte du château. On apporte ici un jeune homme qui semble privé de sentiment.

LA BARONNE

Ah ! mon Dieu, un mort qui m'arrive ! Qu'on arrange vite la chambre verte. Venez, Van Buck, donnez-moi le bras.

Ils sortent.

ACTE II

SCÈNE 1

Une allée sous une charmille
Entrent VAN BUCK *et* VALENTIN,
qui a le bras en écharpe

VAN BUCK

Est-il possible, malheureux garçon, que tu te sois réellement démis le bras ?

VALENTIN

Il n'y a rien de plus possible ; c'est même probable, et, qui pis est, assez douloureusement réel.

VAN BUCK

Je ne sais lequel, dans cette affaire, est le plus à blâmer de nous deux. Vit-on jamais pareille extravagance !

VALENTIN

Il fallait bien trouver un prétexte pour m'introduire convenablement. Quelle raison voulez-vous qu'on ait de se présenter ainsi incognito à une famille respectable? J'avais donné un louis à mon postillon en lui demandant sa parole de me verser devant le château. C'est un honnête homme, il n'y a rien à lui dire, et son argent est parfaitement gagné; il a mis sa roue dans le fossé avec une constance héroïque. Je me suis démis le bras, c'est ma faute; mais j'ai versé, et je ne me plains pas. Au contraire, j'en suis bien aise; cela donne aux choses un air de vérité qui intéresse en ma faveur.

VAN BUCK

Que vas-tu faire? et quel est ton dessein?

VALENTIN

Je ne viens pas du tout ici pour épouser mademoiselle de Mantes, mais uniquement pour vous prouver que j'aurais tort de l'épouser. Mon plan est fait, ma batterie pointée; et, jusqu'ici, tout va à merveille. Vous avez tenu votre promesse comme Régulus ou Hernani. Vous ne m'avez pas appelé mon neveu, c'est le principal et le plus difficile; me voilà reçu, hébergé, couché dans une belle chambre verte, de la fleur d'orange sur ma table, et des rideaux blancs à mon lit. C'est une justice à rendre à votre baronne, elle m'a aussi bien recueilli que mon postillon m'a versé. Maintenant, il s'agit de savoir si tout le reste ira à l'avenant. Je compte d'abord faire ma déclaration, secondement écrire un billet...

VAN BUCK

C'est inutile, je ne souffrirai pas que cette mauvaise plaisanterie s'achève.

VALENTIN

Vous dédire! comme vous voudrez; je me dédis aussi sur-le-champ.

VAN BUCK

Mais, mon neveu...

VALENTIN

Dites un mot, je reprends la poste et retourne à Paris ; plus de parole, plus de mariage ; vous me déshériterez si vous voulez.

VAN BUCK

C'est un guêpier incompréhensible, et il est inouï que je sois fourré là. Mais enfin, voyons, explique-toi !

VALENTIN

Songez, mon oncle, à notre traité. Vous m'avez dit et accordé que, s'il était prouvé que ma future devait me ganter de certains gants, je serais un fou d'en faire ma femme. Par conséquent, l'épreuve étant admise, vous trouverez bon, juste et convenable qu'elle soit aussi complète que possible. Ce que je dirai, sera bien dit ; ce que j'essaierai, bien essayé, et ce que je pourrai faire, bien fait ; vous ne me chercherez pas chicane, et j'ai carte blanche en tous cas.

VAN BUCK

Mais, monsieur, il y a pourtant de certaines bornes, de certaines choses — Je vous prie de remarquer que si vous allez vous prévaloir — Miséricorde ! comme tu y vas !

VALENTIN

Si notre future est telle que vous la croyez et que vous me l'avez représentée, il n'y a pas le moindre danger, et elle ne peut que s'en trouver plus digne.

Figurez-vous que je suis le premier venu ; je suis amoureux de mademoiselle de Mantes, vertueuse épouse de Valentin Van Buck ; songez comme la jeunesse du jour est entreprenante et hardie ! que ne fait-on pas, d'ailleurs, quand on aime ? Quelles escalades, quelles lettres de quatre pages, quels torrents de larmes, quels cornets de dragées ! Devant quoi recule un amant ? De quoi peut-on lui demander compte ? Quel mal fait-il, et de quoi s'offenser ? il aime, ô mon oncle Van Buck ! Rappelez-vous le temps où vous aimiez.

VAN BUCK

De tout temps j'ai été décent, et j'espère que vous le serez, sinon je dis tout à la baronne.

VALENTIN

Je ne compte rien faire qui puisse choquer personne. Je compte d'abord faire ma déclaration ; secondement, écrire plusieurs billets ; troisièmement, gagner la fille de chambre ; quatrièmement, rôder dans les petits coins ; cinquièmement, prendre l'empreinte des serrures avec de la cire à cacheter ; sixièmement, faire une échelle de cordes, et couper les vitres avec ma bague ; septièmement, me mettre à genou par terre en récitant *La Nouvelle Héloïse* ; et huitièmement, si je ne réussis pas, m'aller noyer dans la pièce d'eau ; mais je vous jure d'être décent, et de ne pas dire un seul gros mot, ni rien qui blesse les convenances.

VAN BUCK

Tu es un roué et un impudent ; je ne souffrirai rien de pareil.

VALENTIN

Mais pensez donc que tout ce que je vous dis là, dans quatre ans d'ici un autre le fera, si j'épouse mademoiselle de Mantes ; et comment voulez-vous que je sache de quelle résistance elle est capable, si je ne l'ai d'abord essayé moi-même ? Un autre tentera bien plus encore, et aura devant lui un bien autre délai ; en ne demandant que huit jours, j'ai fait un acte de grande humilité.

VAN BUCK

C'est un piège que tu m'as tendu ; jamais je n'ai prévu cela.

VALENTIN

Et que pensiez-vous donc prévoir, quand vous avez accepté la gageure ?

VAN BUCK

Mais, mon ami, je pensais, je croyais — je croyais que tu allais faire ta cour... mais poliment... à cette jeune personne, comme par exemple, de lui... de lui dire... Ou si par hasard... et encore je n'en sais rien... Mais que diable ! tu es effrayant.

VALENTIN

Tenez ! voilà la blanche Cécile qui nous arrive à petit pas. Entendez-vous craquer le bois sec ? La mère tapisse avec son abbé. Vite, fourrez-vous dans la charmille. Vous serez témoin de la première escarmouche, et vous m'en direz votre avis.

VAN BUCK

Tu l'épouseras si elle te reçoit mal ?

Il se cache dans la charmille.

VALENTIN

Laissez-moi faire, et ne bougez pas. Je suis ravi de vous avoir pour spectateur, et l'ennemi détourne l'allée. Puisque vous m'avez appelé fou, je veux vous montrer qu'en fait d'extravagances, les plus fortes sont les meilleures. Vous allez voir, avec un peu d'adresse, ce que rapportent les blessures honorables reçues pour plaire à la beauté. Considérez cette démarche pensive, et faites-moi la grâce de me dire si ce bras estropié ne me sied pas. Eh ! que voulez-vous ? C'est qu'on est pâle ; il n'y a au monde que cela :

Un jeune malade à pas lents...

Surtout, pas de bruit ; voici l'instant critique ; respectez la foi des serments. Je vais m'asseoir au pied d'un arbre, comme un pasteur des temps passés.

Entre Cécile un livre à la main.

VALENTIN

Déjà levée, mademoiselle, et seule à cette heure dans le bois ?

CÉCILE

C'est vous, monsieur ? je ne vous reconnaissais pas. Comment se porte votre foulure ?

VALENTIN, *à part.*

Foulure ! Voilà un vilain mot. *(Haut.)* C'est trop de grâce que vous me faites, et il y a de certaines blessures qu'on ne sent jamais qu'à demi.

CÉCILE

Vous a-t-on servi à déjeuner ?

VALENTIN

Vous êtes trop bonne ; de toutes les vertus de votre sexe, l'hospitalité est la moins commune, et on ne la trouve nulle part aussi douce, aussi précieuse que chez vous ; et si l'intérêt qu'on m'y témoigne...

CÉCILE

Je vais dire qu'on vous monte un bouillon.

Elle sort.

VAN BUCK, *entrant.*

Tu l'épouseras ! tu l'épouseras ! Avoue qu'elle a été parfaite. Quelle naïveté ! quelle pudeur divine ! On nc peut pas faire un meilleur choix.

VALENTIN

Un moment, mon oncle, un moment ; vous allez bien vite en besogne.

VAN BUCK

Pourquoi pas ? Il n'en faut pas plus ; tu vois clairement à qui tu as affaire, et ce sera toujours de même. Que tu seras heureux avec cette femme-là ! Allons tout dire à la baronne ; je me charge de l'apaiser.

VALENTIN

Bouillon ! Comment une jeune fille peut-elle prononcer ce mot-là ? Elle me déplaît ; elle est laide et sotte. Adieu, mon oncle, je retourne à Paris.

VAN BUCK

Plaisantez-vous ? où est votre parole ? Est-ce ainsi qu'on se joue de moi ? Que signifient ces yeux baissés, et cette contenance défaite ? Est-ce à dire que vous me prenez pour un libertin de votre espèce, et que vous vous servez de ma folle complaisance, comme d'un manteau pour vos méchants desseins ? N'est-ce donc vraiment qu'une séduction que vous venez tenter ici sous le masque de cette épreuve! Jour de Dieu! si je le croyais!...

VALENTIN

Elle me déplaît, ce n'est pas ma faute, et je n'en ai pas répondu.

VAN BUCK

En quoi peut-elle vous déplaire? Elle est jolie, ou je ne m'y connais pas. Elle a les yeux longs et bien fendus, des cheveux superbes, une taille passable. Elle est parfaitement bien élevée; elle sait l'anglais et l'italien; elle aura trente mille livres de rente, et en attendant une très belle dot. Quel reproche pouvez-vous lui faire, et pour quelle raison n'en voulez-vous pas?

VALENTIN

Il n'y a jamais de raison à donner pourquoi les gens plaisent ou déplaisent. Il est certain qu'elle me déplaît, elle, sa foulure et son bouillon.

VAN BUCK

C'est votre amour-propre qui souffre. Si je n'avais pas été là, vous seriez venu me faire cent contes sur votre premier entretien, et vous targuer de belles espérances. Vous vous étiez imaginé faire sa conquête en un clin d'œil, et c'est là où le bât vous blesse. Elle vous plaisait hier au soir, quand vous ne l'aviez encore qu'entrevue, et qu'elle s'empressait avec sa mère à vous soigner de votre sot accident. Maintenant, vous la trouvez laide, parce qu'elle a fait à peine attention à vous. Je vous connais mieux que vous ne pensez, et je ne céderai pas si vite. Je vous défends de vous en aller.

VALENTIN

Comme vous voudrez; je ne veux pas d'elle; je vous répète que je la trouve laide, et elle a un air niais qui est révoltant. Ses yeux sont grands, c'est vrai, mais ils ne veulent rien dire ; ses cheveux sont beaux, mais elle a le front plat ; quant à la taille, c'est peut-être ce qu'elle a de mieux, quoique vous ne la trouviez que passable. Je la félicite de savoir l'italien, elle y a peut-être plus d'esprit qu'en français ; pour ce qui est de sa dot, qu'elle la garde ; je n'en veux pas plus que de son bouillon.

VAN BUCK

A-t-on idée d'une pareille tête, et peut-on s'attendre à rien de semblable ? Va, va, ce que je te disais hier n'est que la pure vérité. Tu n'es capable que de rêver des balivernes, et je ne veux plus m'occuper de toi. Épouse une blanchisseuse si tu veux. Puisque tu refuses ta fortune, lorsque tu l'as entre les mains, que le hasard décide du reste ; cherche-le au fond de tes cornets. Dieu m'est témoin que ma patience a été telle depuis trois ans que nul autre peut-être à ma place...

VALENTIN

Est-ce que je me trompe ? Regardez donc, mon oncle. Il me semble qu'elle revient par ici. Oui, je l'aperçois entre les arbres ; elle va repasser dans le taillis.

VAN BUCK

Où donc ? quoi ? qu'est-ce que tu dis ?

VALENTIN

Ne voyez-vous pas une robe blanche derrière ces touffes de lilas ? Je ne me trompe pas ; c'est bien elle. Vite, mon oncle, rentrez dans la charmille, qu'on ne nous surprenne pas ensemble.

VAN BUCK

À quoi bon, puisqu'elle te déplaît ?

VALENTIN

Il n'importe, je veux l'aborder, pour que vous ne puissiez pas dire que je l'ai jugée trop légèrement.

VAN BUCK

Tu l'épouseras si elle persévère?

Il se cache de nouveau.

VALENTIN

Chut! pas de bruit; la voici qui arrive.

CÉCILE, *entrant.*

Monsieur, ma mère m'a chargée de vous demander si vous comptiez partir aujourd'hui.

VALENTIN

Oui, mademoiselle, c'est mon intention, et j'ai demandé des chevaux.

CÉCILE

C'est qu'on fait un whist au salon, et que ma mère vous serait bien obligée si vous vouliez faire le quatrième.

VALENTIN

J'en suis fâché, mais je ne sais pas jouer.

CÉCILE

Et si vous vouliez rester à dîner, nous avons un faisan truffé.

VALENTIN

Je vous remercie; je n'en mange pas.

CÉCILE

Après-dîner, il nous vient du monde, et nous danserons la mazourke.

VALENTIN

Excusez-moi, je ne danse jamais.

CÉCILE

C'est bien dommage. Adieu, monsieur.

Elle sort.

VAN BUCK, *rentrant.*

Ah ça ! voyons, l'épouseras-tu ? Qu'est-ce que tout cela signifie ? Tu dis que tu as demandé des chevaux ; est-ce que c'est vrai ? ou si tu te moques de moi ?

VALENTIN

Vous aviez raison, elle est agréable ; je la trouve mieux que la première fois ; elle a un petit signe au coin de la bouche que je n'avais pas remarqué.

VAN BUCK

Où vas-tu ? Qu'est-ce qui t'arrive ? Veux-tu me répondre sérieusement ?

VALENTIN

Je ne vais nulle part, je me promène avec vous. Est-ce que vous la trouvez mal faite ?

VAN BUCK

Moi ? Dieu m'en garde ! je la trouve complète en tout.

VALENTIN

Il me semble qu'il est bien matin pour jouer au whist ; y jouez-vous, mon oncle ? Vous devriez rentrer au château.

VAN BUCK

Certainement, je devrais y rentrer ; j'attends que vous daigniez me répondre. Restez-vous ici, oui ou non ?

VALENTIN

Si je reste, c'est pour notre gageure ; je n'en voudrais pas avoir le démenti ; mais ne comptez sur rien jusqu'à tantôt ; mon bras malade me met au supplice.

VAN BUCK

Rentrons ; tu te reposeras.

VALENTIN

Oui, j'ai envie de prendre ce bouillon qui est là-haut ; il faut que j'écrive ; je vous reverrai à dîner.

VAN BUCK

Écrire ! J'espère que ce n'est pas à elle que tu écriras.

VALENTIN

Si je lui écris, c'est pour notre gageure. Vous savez que c'est convenu.

VAN BUCK

Je m'y oppose formellement, à moins que tu me montres ta lettre.

VALENTIN

Tant que vous voudrez; je vous dis et je vous répète qu'elle me plaît médiocrement.

VAN BUCK

Quelle nécessité de lui écrire? Pourquoi ne lui as-tu pas fait tout à l'heure ta déclaration de vive voix, comme tu te l'étais promis?

VALENTIN

Pourquoi?

VAN BUCK

Sans doute; qu'est-ce qui t'en empêchait? Tu avais le plus beau courage du monde.

VALENTIN

C'est que mon bras me faisait souffrir. Tenez, la voilà qui repasse une troisième fois; la voyez-vous là-bas, dans l'allée?

VAN BUCK

Elle tourne autour de la plate-bande, et la charmille est circulaire. Il n'y a rien là que de très convenable.

VALENTIN

Ah! coquette fille! c'est autour du feu qu'elle tourne, comme un papillon ébloui. Je veux jeter cette pièce à pile ou face, pour savoir si je l'aimerai.

VAN BUCK

Tâche donc qu'elle t'aime auparavant; le reste est le moins difficile.

VALENTIN

Soit ; regardons-la bien tous les deux. Elle va passer entre ces deux touffes d'arbres. Si elle tourne la tête de notre côté, je l'aime, sinon, je m'en vais à Paris.

VAN BUCK

Gageons qu'elle ne se retourne pas.

VALENTIN

Oh ! que si ; ne la perdons pas de vue.

VAN BUCK

Tu as raison. — Non, pas encore ; elle paraît lire attentivement.

VALENTIN

Je suis sûr qu'elle va se retourner.

VAN BUCK

Non ; elle avance ; la touffe d'arbres approche. Je suis convaincu qu'elle n'en fera rien.

VALENTIN

Elle doit pourtant nous voir ; rien ne nous cache ; je vous dis qu'elle se retournera.

VAN BUCK

Elle a passé, tu as perdu.

VALENTIN

Je vais lui écrire, ou que le ciel m'écrase ! Il faut que je sache à quoi m'en tenir. C'est incroyable qu'une petite fille traite les gens aussi légèrement.

Pure hypocrisie ! pur manège ! Je vais lui dépêcher un billet en règle ; je lui dirai que je meurs d'amour pour elle, que je me suis cassé le bras pour la voir, que si elle me repousse, je me brûle la cervelle, et que si elle veut de moi, je l'enlève demain matin. Venez, rentrons, je veux écrire devant vous.

VAN BUCK

Tout beau, mon neveu, quelle mouche vous pique ? Vous nous ferez quelque mauvais tour ici.

VALENTIN

Croyez-vous donc que deux mots en l'air puissent signifier quelque chose ? Que lui ai-je dit que d'indifférent, et que m'a-t-elle dit elle-même ? Il est tout simple qu'elle ne se retourne pas. Elle ne sait rien, et je n'ai rien su lui dire. Je ne suis qu'un sot, si vous voulez ; il est possible que je me pique d'orgueil et que mon amour-propre soit en jeu. Belle ou laide, peu m'importe ; je veux voir clair dans son âme. Il y a là-dessous quelque ruse, quelque parti pris que nous ignorons ; laissez-moi faire, tout s'éclaircira.

VAN BUCK

Le diable m'emporte, tu parles en amoureux. Est-ce que tu le serais, par hasard ?

VALENTIN

Non ; je vous ai dit qu'elle me déplaît. Faut-il vous rebattre cent fois la même chose ? dépêchons-nous, rentrons au château.

VAN BUCK

Je vous ai dit que je ne veux pas de lettre, et surtout de celle dont vous parlez.

VALENTIN

Venez toujours, nous nous déciderons.

Ils sortent.

SCÈNE 2

Le salon

LA BARONNE *et* L'ABBÉ,
devant une table de jeu préparée

LA BARONNE

Vous direz ce que vous voudrez, c'est désolant de jouer avec un mort. Je déteste la campagne à cause de cela.

L'ABBÉ

Mais où est donc M. Van Buck ? est-ce qu'il n'est pas encore descendu ?

LA BARONNE

Je l'ai vu tout à l'heure dans le parc avec ce monsieur de la chaise, qui, par parenthèse, n'est guère poli de ne pas vouloir nous rester à dîner.

L'ABBÉ

S'il a des affaires pressées...

LA BARONNE

Bah ! des affaires, tout le monde en a. La belle excuse ! Si on ne pensait jamais qu'aux affaires, on ne serait jamais à rien. Tenez, l'abbé, jouons au piquet ; je me sens d'une humeur massacrante.

L'ABBÉ, *mêlant les cartes.*

Il est certain que les jeunes gens du jour ne se piquent pas d'être polis.

LA BARONNE

Polis ! je crois bien. Est-ce qu'ils s'en doutent ? Et qu'est-ce que c'est que d'être poli ? Mon cocher est poli. De mon temps, l'abbé, on était galant.

L'ABBÉ

C'était le bon, madame la baronne, et plût au ciel que j'y fusse né !

LA BARONNE

J'aurais voulu voir que mon frère, qui était à Monsieur, tombât de carrosse à la porte d'un château, et qu'on l'y eût gardé à coucher. Il aurait plutôt perdu sa fortune que de refuser de faire un quatrième. Tenez, ne parlons plus de ces choses-là. C'est à vous de prendre ; vous n'en laissez pas ?

L'ABBÉ

Je n'ai pas un as ; voilà M. Van Buck.

Entre Van Buck.

LA BARONNE

Continuons ; c'est à vous de parler.

VAN BUCK, *bas à la baronne.*

Madame, j'ai deux mots à vous dire qui sont de la dernière importance.

LA BARONNE

Eh bien ! après le marqué.

L'ABBÉ

Cinq cartes, valant quarante et cinq.

LA BARONNE

Cela ne vaut pas. *(À Van Buck.)* Qu'est-ce donc ?

VAN BUCK

Je vous supplie de m'accorder un moment ; je ne puis parler devant un tiers, et ce que j'ai à vous dire ne souffre aucun retard.

LA BARONNE *se lève.*

Vous me faites peur ; de quoi s'agit-il ?

VAN BUCK

Madame, c'est une grave affaire, et vous allez peut-être vous fâcher contre moi. La nécessité me force de manquer à une promesse que mon imprudence m'a fait accorder. Le jeune homme à qui vous avez donné l'hospitalité cette nuit, est mon neveu.

LA BARONNE

Ah ! bah ! quelle idée !

VAN BUCK

Il désirait approcher de vous sans être connu ; je n'ai pas cru mal faire en me prêtant à une fantaisie qui, en pareil cas, n'est pas nouvelle.

LA BARONNE

Ah ! mon Dieu ! j'en ai vu bien d'autres !

VAN BUCK

Mais je dois vous avertir qu'à l'heure qu'il est, il vient d'écrire à mademoiselle de Mantes, et dans les termes les moins retenus. Ni mes menaces, ni mes prières, n'ont pu le dissuader de sa folie; et un de vos gens, je le dis à regret, s'est chargé de remettre le billet à son adresse. Il s'agit d'une déclaration d'amour, et, je dois ajouter, des plus extravagantes.

LA BARONNE

Vraiment! eh bien! ce n'est pas si mal. Il a de la tête, votre petit bonhomme.

VAN BUCK

Jour de Dieu! je vous en réponds! ce n'est pas d'hier que j'en sais quelque chose. Enfin, madame, c'est à vous d'aviser aux moyens de détourner les suites de cette affaire. Vous êtes chez vous; et, quant à moi, je vous avouerai que je suffoque, et que les jambes vont me manquer. Ouf!

Il tombe dans une chaise.

LA BARONNE

Ah! ciel! qu'est-ce que vous avez donc? Vous êtes pâle comme un linge! Vite! racontez-moi tout ce qui s'est passé, et faites-moi confidence entière.

VAN BUCK

Je vous ai tout dit; je n'ai rien à ajouter.

LA BARONNE

Ah! bah! ce n'est que ça? Soyez donc sans crainte; si votre neveu a écrit à Cécile, la petite me montrera le billet.

VAN BUCK

En êtes-vous sûre, baronne? Cela est dangereux.

LA BARONNE

Belle question ! Où en serions-nous si une fille ne montrait pas à sa mère une lettre qu'on lui écrit ?

VAN BUCK

Hum ! je n'en mettrais pas ma main au feu.

LA BARONNE

Qu'est-ce à dire, monsieur Van Buck ? Savez-vous à qui vous parlez ? Dans quel monde avez-vous vécu pour élever un pareil doute ? Je ne sais pas trop comme on fait aujourd'hui, ni de quel train va votre bourgeoisie ; mais, vertu de ma vie, en voilà assez ; j'aperçois justement ma fille, et vous verrez qu'elle m'apporte sa lettre. Venez, l'abbé, continuons.

Elle se remet en jeu. — Entre Cécile, qui va à la fenêtre, prend son ouvrage et s'assoit à l'écart.

L'ABBÉ

Quarante-cinq ne valent pas ?

LA BARONNE

Non, vous n'avez rien ; quatorze d'as, six et quinze, c'est quatre-vingt-quinze. À vous de jouer.

L'ABBÉ

Trèfle. Je crois que je suis capot.

VAN BUCK, *bas à la baronne.*

Je ne vois pas que mademoiselle Cécile vous fasse encore des confidences.

LA BARONNE, *bas à Van Buck.*

Vous ne savez ce que vous dites ; c'est l'abbé qui la gêne ; je suis sûre d'elle comme de moi. Je fais repic. Cent dix-sept de reste. À vous de faire.

UN DOMESTIQUE, *entrant.*

Monsieur l'abbé, on vous demande ; c'est le sacristain et le bedeau du village.

L'ABBÉ

Qu'est-ce qu'ils me veulent ? Je suis occupé.

LA BARONNE

Donnez vos cartes à Van Buck ; il jouera ce coup-ci pour vous.

L'abbé sort. Van Buck prend sa place.

LA BARONNE

C'est vous qui faites, et j'ai coupé. Vous êtes marqué selon toute apparence. Qu'est-ce que vous avez donc dans les doigts ?

VAN BUCK, *bas.*

Je vous confesse que je ne suis pas tranquille ; votre fille ne dit mot, et je ne vois pas mon neveu.

LA BARONNE

Je vous dis que j'en réponds ; c'est vous qui la gênez ; je la vois d'ici qui me fait des signes.

VAN BUCK

Vous croyez ? moi, je ne vois rien.

LA BARONNE

Cécile, venez donc un peu ici ; vous vous tenez à une lieue. *(Cécile approche son fauteuil.)* Est-ce que vous n'avez rien à me dire, ma chère ?

CÉCILE

Moi ? non, maman.

LA BARONNE

Ah ! bah ! Je n'ai que quatre cartes, Van Buck. Le point est à vous ; j'ai trois valets.

VAN BUCK

Voulez-vous que je vous laisse seules ?

LA BARONNE

Non ; restez donc, ça ne fait rien. Cécile, tu peux parler devant monsieur.

CÉCILE

Moi, maman ? Je n'ai rien de secret à dire.

LA BARONNE

Vous n'avez pas à me parler ?

CÉCILE

Non, maman.

LA BARONNE

C'est inconcevable ; qu'est-ce que vous venez donc me conter, Van Buck ?

VAN BUCK

Madame, j'ai dit la vérité.

LA BARONNE

Ça ne se peut pas : Cécile n'a rien à me dire ; il est clair qu'elle n'a rien reçu.

VAN BUCK, *se levant.*

Eh ! morbleu, je l'ai vu de mes yeux.

LA BARONNE, *se levant aussi.*

Ma fille, qu'est-ce que cela signifie ? levez-vous droite, et regardez-moi. Qu'est-ce que vous avez dans vos poches ?

CÉCILE, *pleurant.*

Mais, maman, ce n'est pas ma faute ; c'est ce monsieur qui m'a écrit.

LA BARONNE

Voyons cela. *(Cécile donne la lettre.)* Je suis curieuse de lire de son style, à ce monsieur, comme vous l'appelez. *(Elle lit.)*

« Mademoiselle, je meurs d'amour pour vous. Je vous ai vue l'hiver passé, et, vous sachant à la campagne, j'ai résolu de vous revoir ou de mourir. J'ai donné un louis à mon postillon... »

Ne voudrait-il pas qu'on le lui rende ? Nous avons bien affaire de le savoir !

« à mon postillon, pour me verser devant votre porte. Je vous ai rencontrée deux fois ce matin, et je n'ai rien pu vous dire, tant votre présence m'a troublé. Cependant, la crainte de vous perdre, et l'obligation de quitter le château... »

J'aime beaucoup ça. Qu'est-ce qui le priait de partir? C'est lui qui me refuse de rester à dîner.
« me déterminent à vous demander de m'accorder un rendez-vous. Je sais que je n'ai aucun titre à votre confiance... »

La belle remarque, et faite à propos.
« mais l'amour peut tout excuser; ce soir, à neuf heures, pendant le bal, je serai caché dans le bois; tout le monde ici me croira parti, car je sortirai du château en voiture avant dîner, mais seulement pour faire quatre pas et descendre. »

Quatre pas! quatre pas! l'avenue est longue; dirait-on pas qu'il n'y a qu'à enjamber?
« et descendre. Si dans la soirée vous pouvez vous échapper, je vous attends; sinon, je me brûle la cervelle. »

Bien.
« la cervelle. Je ne crois pas que votre mère... »

Ah! que votre mère! voyons un peu cela.
« fasse grande attention à vous. Elle a une tête de gir... »

Monsieur Van Buck, qu'est-ce que cela signifie?

VAN BUCK

Je n'ai pas entendu, madame.

LA BARONNE

Lisez vous-même, et faites-moi le plaisir de dire à votre neveu qu'il sorte de ma maison tout à l'heure, et qu'il n'y mette jamais les pieds.

VAN BUCK

Il y a *girouette*; c'est positif; je ne m'en étais pas aperçu. Il m'avait cependant lu sa lettre avant que de la cacheter.

LA BARONNE

Il vous avait lu cette lettre, et vous l'avez laissé la donner à mes gens! Allez, vous êtes un vieux sot, et je ne vous reverrai de ma vie.

Elle sort. On entend le bruit d'une voiture.

VAN BUCK

Qu'est-ce que c'est ? mon neveu qui part sans moi ? Eh ! comment veut-il que je m'en aille ? J'ai renvoyé mes chevaux. Il faut que je coure après lui.

Il sort en courant.

CÉCILE, *seule.*

C'est singulier ; pourquoi m'écrit-il, quand tout le monde veut bien qu'il m'épouse ?

ACTE III

SCÈNE 1

Un chemin
Entrent VAN BUCK *et* VALENTIN,
qui frappe à une auberge

VALENTIN

Holà ! hé ! y a-t-il quelqu'un ici capable de me faire une commission ?

UN GARÇON, *sortant.*

Oui, monsieur, si ce n'est pas trop loin ; car vous voyez qu'il pleut à verse.

VAN BUCK

Je m'y oppose de toute mon autorité, et au nom des lois du royaume.

VALENTIN

Connaissez-vous le château de Mantes, ici près ?

LE GARÇON

Que oui, monsieur, nous y allons tous les jours. C'est à main gauche ; on le voit d'ici.

VAN BUCK

Mon ami, je vous défends d'y aller, si vous avez quelque notion du bien et du mal.

VALENTIN

Il y a deux louis à gagner pour vous. Voilà une lettre pour Mlle de Mantes, que vous remettrez à sa femme de chambre, et non à d'autres, et en secret. Dépêchez-vous et revenez.

LE GARÇON

Oh! monsieur, n'ayez pas peur.

VAN BUCK

Voilà quatre louis si vous refusez.

LE GARÇON

Oh! monseigneur, il n'y a pas de danger.

VALENTIN

En voilà dix; et si vous n'y allez pas, je vous casse ma canne sur le dos.

LE GARÇON

Oh! mon prince, soyez tranquille; je serai bientôt revenu.

Il sort.

VALENTIN

Maintenant, mon oncle, mettons-nous à l'abri; et si vous m'en croyez, buvons un verre de bière. Cette course à pied doit vous avoir fatigué.

Ils s'assoient sur un banc.

VAN BUCK

Sois-en certain, je ne te quitterai pas ; j'en jure par l'âme de feu mon frère et par la lumière du soleil. Tant que mes pieds pourront me porter, tant que ma tête sera sur mes épaules, je m'opposerai à cette action infâme et à ses horribles conséquences.

VALENTIN

Soyez-en sûr, je n'en démordrai pas ; j'en jure par ma juste colère et par la nuit qui me protégera. Tant que j'aurai du papier et de l'encre, et qu'il me restera un louis dans ma poche, je poursuivrai et achèverai mon dessein, quelque chose qui puisse en arriver.

VAN BUCK

N'as-tu donc plus ni foi ni vergogne, et se peut-il que tu sois mon sang ? Quoi ! ni le respect pour l'innocence, ni le sentiment du convenable, ni la certitude de me donner la fièvre, rien n'est capable de te toucher !

VALENTIN

N'avez-vous donc ni orgueil ni honte, et se peut-il que vous soyez mon oncle ? Quoi ! ni l'insulte que l'on nous fait, ni la manière dont on nous chasse, ni les injures qu'on vous a dit à votre barbe, rien n'est capable de vous donner du cœur !

VAN BUCK

Encore si tu étais amoureux ! si je pouvais croire que tant d'extravagances partent d'un motif qui eût quelque chose d'humain ! Mais non, tu n'es qu'un Lovelace, tu ne respires que trahisons, et la plus exécrable vengeance est ta seule soif et ton seul amour.

VALENTIN

Encore si je vous voyais pester ! si je pouvais me dire qu'au fond de l'âme vous envoyez cette baronne et son monde à tous les diables ! Mais non, vous ne craignez que la pluie, vous ne pensez qu'au mauvais temps qu'il fait, et le soin de vos bas chinés est votre seule peur et votre seul tourment.

VAN BUCK

Ah ! qu'on a bien raison de dire qu'une première faute mène à un précipice ! Qui m'eût pu prédire ce matin, lorsque le barbier m'a rasé, et que j'ai mis mon habit neuf, que je serais ce soir dans une grange, crotté et trempé jusqu'aux os ! Quoi ! c'est moi ! Dieu juste ! à mon âge ! Il faut que je quitte ma chaise de poste où nous étions si bien installés, il faut que je coure à la suite d'un fou, à travers champs, en rase campagne ! Il faut que je me traîne à ses talons, comme un confident de tragédie, et le résultat de tant de sueurs sera le déshonneur de mon nom !

VALENTIN

C'est au contraire par la retraite que nous pourrions nous déshonorer, et non par une glorieuse campagne dont nous ne sortirons que vainqueurs. Rougissez, mon oncle Van Buck, mais que ce soit d'une noble indignation. Vous me traitez de Lovelace ; oui, par le ciel ! ce nom me convient. Comme à lui, on me ferme une porte surmontée de fières armoiries ; comme lui, une famille odieuse croit m'abattre par un affront ; comme lui, comme l'épervier, j'erre et je tournoie aux environs ; mais, comme lui, je saisirai ma proie, et comme Clarisse, la sublime bégueule, ma bien-aimée m'appartiendra.

VAN BUCK

Ah ! ciel ! que ne suis-je à Anvers, assis devant mon comptoir, sur mon fauteuil de cuir, et dépliant mon taffetas ! Que mon frère n'est-il mort garçon, au lieu de se marier à quarante ans passés ! Ou plutôt que ne suis-je mort moi-même, le premier jour que la baronne de Mantes m'a invité à déjeuner !

VALENTIN

Ne regrettez que le moment où, par une fatale faiblesse, vous avez révélé à cette femme le secret de notre traité. C'est vous qui avez causé le mal ; cessez de m'injurier, moi qui le réparerai. Doutez-vous que cette petite fille, qui cache si bien les billets doux dans les poches de son tablier, ne fût venue au rendez-vous donné ? Oui, à coup sûr elle y serait venue ; donc elle viendra encore mieux cette fois. Par mon patron ! je me fais une fête de la voir descendre en peignoir, en cornette et en petits souliers, de cette grande caserne de briques rouillées ! Je ne l'aime pas, mais je l'aimerais, que la vengeance serait la plus forte, et tuerait l'amour dans mon cœur. Je jure qu'elle sera ma maîtresse, mais qu'elle ne sera jamais ma femme ; il n'y a maintenant ni épreuve, ni promesse, ni alternative ; je veux qu'on se souvienne à jamais dans cette famille du jour où l'on m'en a chassé.

L'AUBERGISTE, *sortant de la maison.*

Messieurs, le soleil commence à baisser ; est-ce que vous ne me ferez pas l'honneur de dîner chez moi ?

VALENTIN

Si fait ; apportez-nous la carte, et faites-nous allumer du feu. Dès que votre garçon sera revenu, vous lui direz qu'il me donne réponse. Allons, mon oncle, un peu de fermeté ; venez et commandez le dîner.

VAN BUCK

Ils auront du vin détestable ; je connais le pays ; c'est un vinaigre affreux.

L'AUBERGISTE

Pardonnez-moi; nous avons du champagne, du chambertin, et tout ce que vous pouvez désirer.

VAN BUCK

En vérité? dans un trou pareil? c'est impossible; vous nous en imposez.

L'AUBERGISTE

C'est ici que descendent les messageries, et vous verrez si nous manquons de rien.

VAN BUCK

Allons! tâchons donc de dîner; je sens que ma mort est prochaine, et que dans peu je ne dînerai plus.

Ils sortent.

SCÈNE 2

Au château. Un salon
Entrent LA BARONNE *et* L'ABBÉ

LA BARONNE

Dieu soit loué, ma fille est enfermée. Je crois que j'en ferai une maladie.

L'ABBÉ

Madame, s'il m'est permis de vous donner un conseil, je vous dirai que j'ai grandement peur. Je crois avoir vu en traversant la cour un homme en blouse, et d'assez mauvaise mine, qui avait une lettre à la main.

LA BARONNE

Le verrou est mis; il n'y a rien à craindre. Aidez-moi un peu à ce bal; je n'ai pas la force de m'en occuper.

L'ABBÉ

Dans une circonstance aussi grave, ne pourriez-vous retarder vos projets?

LA BARONNE

Êtes-vous fou? Vous verrez que j'aurai fait venir tout le faubourg Saint-Germain de Paris, pour le remercier et le mettre à la porte? Réfléchissez donc à ce que vous dites.

L'ABBÉ

Je croyais qu'en telle occasion, on aurait pu sans blesser personne...

LA BARONNE

Et au milieu de ça, je n'ai pas de bougies! Voyez donc un peu si Dupré est là.

L'ABBÉ

Je pense qu'il s'occupe des sirops.

LA BARONNE

Vous avez raison; ces maudits sirops, voilà encore de quoi mourir. Il y a huit jours que j'ai écrit moi-même, et ils ne sont arrivés qu'il y a une heure. Je vous demande si on va boire ça.

L'ABBÉ

Cet homme en blouse, madame la baronne, est quelque émissaire, n'en doutez pas. Il m'a semblé, autant que je me le rappelle, qu'une de vos femmes causait avec lui. Ce jeune homme d'hier est mauvaise tête, et il faut songer que la manière assez verte dont vous vous en êtes délivrée...

LA BARONNE

Bah! des Van Buck? des marchands de toile? qu'est-ce que vous voulez donc que ça fasse? Quand ils crieraient, est-ce qu'ils ont voix? Il faut que je démeuble le petit salon; jamais je n'aurai de quoi asseoir mon monde.

L'ABBÉ

Est-ce dans sa chambre, madame, que votre fille est enfermée?

LA BARONNE

Dix et dix font vingt; les Raimbaut sont quatre; vingt, trente. Qu'est-ce que vous dites, l'abbé?

L'ABBÉ

Je demande, madame la baronne, si c'est dans sa belle chambre jaune que mademoiselle Cécile est enfermée?

LA BARONNE

Non; c'est là, dans la bibliothèque; c'est encore mieux; je l'ai sous la main. Je ne sais ce qu'elle fait, ni si on l'habille, et voilà la migraine qui me prend.

L'ABBÉ

Désirez-vous que je l'entretienne?

LA BARONNE

Je vous dis que le verrou est mis ; ce qui est fait est fait ; nous n'y pouvons rien.

L'ABBÉ

Je pense que c'était sa femme de chambre qui causait avec ce lourdaud. Veuillez me croire, je vous en supplie ; il s'agit là de quelque anguille sous roche, qu'il importe de ne pas négliger.

LA BARONNE

Décidément, il faut que j'aille à l'office ; c'est la dernière fois que je reçois ici.

Elle sort.

L'ABBÉ, *seul.*

Il me semble que j'entends du bruit dans la pièce attenante à ce salon. Ne serait-ce point la jeune fille ? Hélas ! ceci est inconsidéré !

CÉCILE, *en dehors.*

Monsieur l'abbé, voulez-vous m'ouvrir ?

L'ABBÉ

Mademoiselle, je ne le puis pas sans autorisation préalable.

CÉCILE, *de même.*

La clé est là, sous le coussin de la causeuse ; vous n'avez qu'à la prendre, et vous m'ouvrirez.

L'ABBÉ, *prenant la clé.*

Vous avez raison, mademoiselle, la clé s'y trouve effectivement ; mais je ne puis m'en servir d'aucune façon, bien contrairement à mon vouloir.

CÉCILE, *de même.*

Ah ! mon Dieu ! je me trouve mal !

L'ABBÉ

Grand Dieu ! rappelez vos esprits. Je vais quérir madame la baronne. Est-il possible qu'un accident funeste vous ait frappée si subitement ? Au nom du ciel ! mademoiselle, répondez-moi, que ressentez-vous ?

CÉCILE, *de même.*

Je me trouve mal ! je me trouve mal !

L'ABBÉ

Je ne puis laisser expirer ainsi une si charmante personne. Ma foi ! je prends sur moi d'ouvrir ; on en dira ce qu'on voudra.

Il ouvre la porte.

CÉCILE

Ma foi, l'abbé, je prends sur moi de m'en aller ; on en dira ce qu'on voudra.

Elle sort en courant.

SCÈNE 3

Un petit bois
Entrent VAN BUCK *et* VALENTIN

VALENTIN

La lune se lève et l'orage passe. Voyez ces perles sur les feuilles ; comme ce vent tiède les fait rouler ! À peine si le sable garde l'empreinte de nos pas ; le gravier sec a déjà bu la pluie.

VAN BUCK

Pour une auberge de hasard, nous n'avons pas trop mal dîné. J'avais besoin de ce fagot flambant; mes vieilles jambes sont ragaillardies. Eh bien! garçon, arrivons-nous?

VALENTIN

Voici le terme de notre promenade; mais si vous m'en croyez, à présent, vous pousserez jusqu'à cette ferme dont les fenêtres brillent là-bas. Vous vous mettrez au coin du feu, et vous nous commanderez un grand bol de vin chaud, avec du sucre et de la cannelle.

VAN BUCK

Ne te feras-tu pas trop attendre? Combien de temps vas-tu rester ici? Songe du moins à toutes tes promesses, et à être prêt en même temps que les chevaux.

VALENTIN

Je vous jure de n'entreprendre ni plus ni moins que ce dont nous sommes convenus. Voyez, mon oncle, comme je vous cède, et comme, en tout, je fais vos volontés. Au fait, dîner porte conseil, et je sens bien que la colère est quelquefois mauvais ami. Capitulation de part et d'autre. Vous me permettez un quart d'heure d'amourette, et je renonce à toute espèce de vengeance. La petite retournera chez elle, nous à Paris, et tout sera dit. Quant à la détestée baronne, je lui pardonne en l'oubliant.

VAN BUCK

C'est à merveille! Et n'aie pas de crainte que tu manques de femme pour cela. Il n'est pas dit qu'une vieille folle fera tort à d'honnêtes gens, qui ont amassé un bien considérable, et qui ne sont point mal tournés. Vrai Dieu ! il fait beau clair de lune ; cela me rappelle mon jeune temps.

VALENTIN

Ce billet doux que je viens de recevoir, n'est pas si niais, savez-vous ? cette petite fille a de l'esprit, et même quelque chose de mieux ; oui, il y a du cœur dans ces trois lignes, je ne sais quoi de tendre et de hardi, de virginal et de brave en même temps ; le rendez-vous qu'elle m'assigne est, du reste, comme son billet. Regardez ce bosquet, ce ciel, ce coin de verdure dans un lieu si sauvage. Ah ! que le cœur est un grand maître ! On n'invente rien de ce qu'il trouve, et c'est lui seul qui choisit tout.

VAN BUCK

Je me souviens qu'étant à La Haye, j'eus une équipée de ce genre. C'était, ma foi, un beau brin de fille ; elle avait cinq pieds et quelques pouces, et une vraie moisson d'appas. Quelles Vénus que ces Flamandes ! On ne sait ce que c'est qu'une femme à présent ; dans toutes vos beautés parisiennes, il y a moitié chair et moitié coton.

VALENTIN

Il me semble que j'aperçois des lueurs qui errent là-bas dans la forêt. Qu'est-ce que cela voudrait dire ? Nous traquerait-on à l'heure qu'il est ?

VAN BUCK

C'est sans doute le bal qu'on prépare ; il y a fête ce soir au château.

VALENTIN

Séparons-nous pour plus de sûreté ; dans une demi-heure, à la ferme.

VAN BUCK

C'est dit; bonne chance, garçon; tu me conteras ton affaire, et nous en ferons quelque chanson; c'était notre ancienne manière; pas de fredaine qui ne fît un couplet.

Il chante.

Eh! vraiment, oui, mademoiselle,
Eh! vraiment oui, nous serons trois.

Valentin sort. On voit des hommes qui portent des torches, rôder à travers la forêt. Entrent la baronne et l'abbé.

LA BARONNE

C'est clair comme le jour; elle est folle. C'est un vertige qui lui a pris.

L'ABBÉ

Elle me crie : « Je me trouve mal »; vous concevez ma position.

VAN BUCK, *chantant*

Il est donc bien vrai,
Charmante Colette,
Il est donc bien vrai
Que pour votre fête,
Colin vous a fait...
Présent d'un bouquet.

LA BARONNE

Et justement, dans ce moment-là, je vois arriver une voiture. Je n'ai eu que le temps d'appeler Dupré. Dupré n'y était pas. On entre, on descend. C'étaient la marquise de Valangoujard et le baron de Villebouzin.

L'ABBÉ

Quand j'ai entendu ce premier cri, j'ai hésité ; mais que voulez-vous faire ? Je la voyais là, sans connaissance, étendue à terre ; elle criait à tue-tête, et j'avais la clé dans ma main.

VAN BUCK, *chantant.*

Quand il vous l'offrit,
Charmante brunette,
Quand il vous l'offrit,
Petite Colette,
On dit qu'il vous prit...
Un frisson subit.

LA BARONNE

Conçoit-on ça ? je vous le demande. Ma fille qui se sauve à travers champ, et trente voitures qui entrent ensemble. Je ne survivrai jamais à un pareil moment.

L'ABBÉ

Encore si j'avais eu le temps, je l'aurais peut-être retenue par son schall... ou du moins... enfin, par mes prières, par mes justes observations.

VAN BUCK

Dites à présent,
Charmante bergère,
Dites à présent
Que vous n'aimez guère,
Qu'un amant constant...
Vous fasse un présent.

LA BARONNE

C'est vous, Van Buck ? Ah ! mon cher ami, nous sommes perdus ; qu'est-ce que ça veut dire ? Ma fille est folle, elle court les champs ! Avez-vous idée d'une chose pareille? J'ai quarante personnes chez moi; me voilà à pied par le temps qu'il fait. Vous ne l'avez pas vue dans le bois? Elle s'est sauvée, c'est comme en rêve; elle était coiffée et poudrée d'un côté, c'est sa fille de chambre qui me l'a dit. Elle est partie en souliers de satin blanc; elle a renversé l'abbé qui était là, et lui a passé sur le corps. J'en vais mourir! Mes gens ne trouvent rien; et il n'y a pas à dire, il faut que je rentre. Ce n'est pas votre neveu, par hasard, qui nous jouerait un tour pareil? Je vous ai brusqué, n'en parlons plus. Tenez, aidez-moi et faisons la paix. Vous êtes mon vieil ami, pas vrai? Je suis mère, Van Buck. Ah! cruelle fortune! cruel hasard! que t'ai-je donc fait?

Elle se met à pleurer.

VAN BUCK

Est-il possible, madame la baronne! vous, seule à pieds! Vous, cherchant votre fille! Grand Dieu! vous pleurez! Ah! malheureux que je suis!

VALENTIN

Je ne sais; qu'importe? Ce n'est pas pour nous.

L'ABBÉ

Sauriez-vous quelque chose, monsieur? De grâce, prêtez-nous vos lumières.

VAN BUCK

Venez, baronne; prenez mon bras, et Dieu veuille que nous les trouvions! Je vous dirai tout; soyez sans crainte. Mon neveu est homme d'honneur, et tout peut encore se réparer.

LA BARONNE

Ah! bah! C'était un rendez-vous? Voyez-vous la petite masque. À qui se fier désormais?

Ils sortent.

SCÈNE 4

Une clairière dans le bois
Entrent CÉCILE *et* VALENTIN

VALENTIN

Qui est là ? Cécile, est-ce vous ?

CÉCILE

C'est moi. Que veulent dire ces torches et ces clartés dans la forêt ?

VALENTIN

Je ne sais ; qu'importe ? Ce n'est pas pour nous.

CÉCILE

Venez là, où la lune éclaire ; là, où vous voyez ce rocher.

VALENTIN

Non, venez là où il fait sombre ; là, sous l'ombre de ces bouleaux. Il est possible qu'on vous cherche, et il faut échapper aux yeux.

CÉCILE

Je ne verrais pas votre visage ; venez, Valentin, obéissez.

VALENTIN

Où tu voudras, charmante fille ; où tu iras, je te suivrai. Ne m'ôte pas cette main tremblante, laisse mes lèvres la rassurer.

CÉCILE

Je n'ai pas pu venir plus vite. Y a-t-il longtemps que vous m'attendez?

VALENTIN

Depuis que la lune est dans le ciel; regarde cette lettre trempée de larmes; c'est le billet que tu m'as écrit.

CÉCILE

Menteur! C'est le vent et la pluie qui ont pleuré sur ce papier.

VALENTIN

Non, ma Cécile, c'est la joie et l'amour, c'est le bonheur et le désir. Qui t'inquiète? Pourquoi ces regards? que cherches-tu autour de toi?

CÉCILE

C'est singulier; je ne me reconnais pas; où est votre oncle? Je croyais le voir ici.

VALENTIN

Mon oncle est gris de chambertin; ta mère est loin et tout est tranquille. Ce lieu est celui que tu as choisi, et que ta lettre m'indiquait.

CÉCILE

Votre oncle est gris? Pourquoi, ce matin, se cachait-il dans la charmille?

VALENTIN

Ce matin? où donc? que veux-tu dire? Je me promenais seul dans le jardin.

CÉCILE

Ce matin, quand je vous ai parlé, votre oncle était derrière un arbre. Est-ce que vous ne le saviez pas ? Je l'ai vu en détournant l'allée.

VALENTIN

Il faut que tu te sois trompée ; je ne me suis aperçu de rien.

CÉCILE

Oh ! je l'ai bien vu ; il écartait les branches ; c'était peut-être pour nous épier.

VALENTIN

Quelle folie ! tu as fait un rêve. N'en parlons plus. Donne-moi un baiser.

CÉCILE

Oui, mon ami, et de tout mon cœur ; asseyez-vous là près de moi. Pourquoi donc, dans votre lettre d'hier, avez-vous dit du mal de ma mère ?

VALENTIN

Pardonne-moi ; c'est un moment de délire, et je n'étais pas maître de moi.

CÉCILE

Elle m'a demandé cette lettre, et je n'osais la lui montrer. Je savais ce qui allait arriver ; mais qui est-ce donc qui l'avait avertie ? Elle n'a pourtant rien pu deviner ; la lettre était là, dans ma poche.

VALENTIN

Pauvre enfant ! On t'a maltraitée ; c'est ta femme de chambre qui t'aura trahie. À qui se fier en pareil cas ?

CÉCILE

Oh! non; ma femme de chambre est sûre; il n'y avait que faire de lui donner de l'argent. Mais en manquant de respect pour ma mère, vous deviez penser que vous en manquiez pour moi.

VALENTIN

N'en parlons plus, puisque tu me pardonnes. Ne gâtons pas un si précieux moment. Oh! ma Cécile, que tu es belle, et quel bonheur repose en toi! Par quels serments, par quels trésors puis-je payer tes douces caresses? Ah! la vie n'y suffirait pas. Viens sur mon cœur; que le tien le sente battre, et que ce beau ciel les emporte à Dieu!

CÉCILE

Oui, Valentin, mon cœur est sincère. Sentez mes cheveux, comme ils sont doux; j'ai de l'iris de ce côté-là, mais je n'ai pas pris le temps d'en mettre de l'autre. Pourquoi donc, pour venir chez nous, avez-vous caché votre nom?

VALENTIN

Je ne puis le dire; c'est un caprice, une gageure que j'avais faite.

CÉCILE

Une gageure! Avec qui donc?

VALENTIN

Je n'en sais plus rien. Qu'importent ces folies?

CÉCILE

Avec votre oncle, peut-être : n'est-ce pas?

VALENTIN

Oui. Je t'aimais, et je voulais te connaître, et que personne ne fût entre nous.

CÉCILE

Vous avez raison. À votre place, j'aurais voulu faire comme vous.

VALENTIN

Pourquoi es-tu si curieuse, et à quoi bon toutes ces questions ? Ne m'aimes-tu pas, ma belle Cécile ? Réponds-moi oui, et que tout soit oublié.

CÉCILE

Oui, cher, oui, Cécile vous aime, et elle voudrait être plus digne d'être aimée ; mais c'est assez qu'elle le soit pour vous. Mettez vos deux mains dans les miennes. Pourquoi donc m'avez-vous refusé tantôt quand je vous ai prié à dîner ?

VALENTIN

Je voulais partir : j'avais affaire ce soir.

CÉCILE

Pas grande affaire, ni bien loin, il me semble ; car vous êtes descendu au bout de l'avenue.

VALENTIN

Tu m'as vu ! Comment le sais-tu ?

CÉCILE

Oh ! je guettais. Pourquoi m'avez-vous dit que vous ne dansiez pas la mazourke ? je vous l'ai vu danser l'autre hiver.

VALENTIN

Où donc ? Je ne m'en souviens pas.

CÉCILE

Chez madame de Gesvres, au bal déguisé. Comment ne vous en souvenez-vous pas ? Vous me disiez dans votre lettre d'hier que vous m'aviez vue cet hiver ; c'était là.

VALENTIN

Tu as raison ; je m'en souviens. Regarde comme cette nuit est pure ! Comme ce vent soulève sur tes épaules cette gaze avare qui les entoure ! Prête l'oreille ; c'est la voix de la nuit ; c'est le chant de l'oiseau qui invite au bonheur. Derrière cette roche élevée, nul regard ne peut nous découvrir. Tout dort, excepté ce qui s'aime. Laisse ma main écarter ce voile, et mes deux bras le remplacer.

CÉCILE

Oui, mon ami. Puissé-je vous sembler belle ! Mais ne m'ôtez pas votre main ; je sens que mon cœur est dans la mienne, et qu'il va au vôtre par là. Pourquoi donc vouliez-vous partir, et faire semblant d'aller à Paris ?

VALENTIN

Il le fallait ; c'était pour mon oncle. Osais-je, d'ailleurs, prévoir que tu viendrais à ce rendez-vous ? Oh ! que je tremblais en écrivant cette lettre, et que j'ai souffert en t'attendant !

CÉCILE

Pourquoi ne serais-je pas venue, puisque je sais que vous m'épouserez ? *(Valentin se lève et fait quelques pas.)* Qu'avez-vous donc ? qui vous chagrine ? Venez vous rasseoir près de moi.

VALENTIN

Ce n'est rien; j'ai cru, — j'ai cru entendre, — j'ai cru voir quelqu'un de ce côté.

CÉCILE

Nous sommes seuls; soyez sans crainte. Venez donc. Faut-il me lever? Ai-je dit quelque chose qui vous ait blessé? Votre visage n'est plus le même. Est-ce parce que j'ai gardé mon schall, quoique vous vouliez que je l'ôtasse? C'est qu'il fait froid; je suis en toilette de bal. Regardez donc mes souliers de satin. Qu'est-ce que cette pauvre Henriette va penser? Mais qu'avez-vous? Vous ne répondez pas; vous êtes triste. Qu'ai-je donc pu vous dire? C'est par ma faute, je le vois.

VALENTIN

Non, je vous le jure, vous vous trompez; c'est une pensée involontaire qui vient de me traverser l'esprit.

CÉCILE

Vous me disiez « tu », tout à l'heure, et même, je crois, un peu légèrement. Quelle est donc cette mauvaise pensée qui vous a frappé tout à coup? Vous ai-je déplu? Je serais bien à plaindre. Il me semble pourtant que je n'ai rien dit de mal. Mais si vous aimez mieux marcher, je ne veux pas rester assise. *(Elle se lève.)* Donnez-moi le bras, et promenons-nous. Savez-vous une chose? Ce matin, je vous avais fait monter dans votre chambre, un bon bouillon qu'Henriette avait fait. Quand je vous ai rencontré, je vous l'ai dit; j'ai cru que vous ne vouliez pas le prendre, et que cela vous déplaisait. J'ai repassé trois fois dans l'allée; m'avez-vous vue? Alors vous êtes monté. Je suis allée me mettre devant le parterre, et je vous ai vu par votre croisée; vous teniez la tasse à deux mains, et vous avez bu tout d'un trait. Est-ce vrai? l'avez-vous trouvé bon?

VALENTIN

Oui, chère enfant! le meilleur du monde, bon comme ton cœur et comme toi.

CÉCILE

Ah! quand nous serons mari et femme, je vous soignerai mieux que cela. Mais dites-moi, qu'est-ce que cela veut dire de s'aller jeter dans un fossé? risquer de se tuer, et pourquoi faire? Vous saviez bien être reçu chez nous. Que vous ayez voulu arriver tout seul, je le comprends; mais à quoi bon le reste? Est-ce que vous aimez les romans?

VALENTIN

Quelquefois; allons donc nous rasseoir.

Ils se rassoient.

CÉCILE

Je vous avoue qu'ils ne me plaisent guère; ceux que j'ai lus ne signifient rien. Il me semble que ce ne sont que des mensonges, et que tout s'y invente à plaisir. On n'y parle que de séductions, de ruses, d'intrigues, de mille choses impossibles. Il n'y a que les sites qui m'en plaisent; j'en aime les paysages et non les tableaux. Tenez, par exemple, ce soir, quand j'ai reçu votre lettre et que j'ai vu qu'il s'agissait d'un rendez-vous dans le bois, c'est vrai que j'ai cédé à une envie d'y venir, qui tient bien un peu du roman. Mais c'est que j'y ai trouvé aussi un peu de réel à mon avantage. Si ma mère le sait, et elle le saura, vous comprenez qu'il faut qu'on nous marie. Que votre oncle soit brouillé ou non avec elle, il faudra bien se raccommoder. J'étais honteuse d'être enfermée; et, au fait, pourquoi l'ai-je été? L'abbé est venu, j'ai fait la morte; il m'a ouvert, et je me suis sauvée; voilà ma ruse; je vous la donne pour ce qu'elle vaut.

VALENTIN, *à part.*

Suis-je un renard pris à son piège, ou un fou qui revient à la raison?

CÉCILE

Eh bien! vous ne me répondez pas. Est-ce que cette tristesse va durer toujours?

VALENTIN

Vous me paraissez savante pour votre âge, et en même temps, aussi étourdie que moi, qui le suis comme le premier coup de matines.

CÉCILE

Pour étourdie, j'en dois convenir ici; mais, mon ami, c'est que je vous aime. Vous le dirai-je? je savais que vous m'aimiez, et ce n'est pas d'hier que je m'en doutais. Je ne vous ai vu que trois fois à ce bal, mais j'ai du cœur, et je m'en souviens. Vous avez valsé avec mademoiselle de Gesvres, et en passant contre la porte, son épingle à l'italienne a rencontré le panneau, et ses cheveux se sont déroulés sur elle. Vous en souvenez-vous maintenant? Ingrat! Le premier mot de votre lettre disait que vous vous en souveniez. Aussi comme le cœur m'a battu! Tenez; croyez-moi, c'est là ce qui prouve qu'on aime, et c'est pour cela que je suis ici.

VALENTIN, *à part.*

Ou j'ai sous le bras le plus rusé démon que l'enfer ait jamais vomi, ou la voix qui me parle est celle d'un ange, et elle m'ouvre le chemin des cieux.

CÉCILE

Pour savante, c'est une autre affaire ; mais je veux répondre, puisque vous ne dites rien. Voyons, savez-vous ce que c'est que cela ?

VALENTIN

Quoi ? cette étoile à droite de cet arbre ?

CÉCILE

Non, celle-là qui se montre à peine, et qui brille comme une larme.

VALENTIN

Vous avez lu madame de Staël ?

CÉCILE

Oui, et le mot de larme me plaît, je ne sais pourquoi, comme les étoiles. Un beau ciel pur me donne envie de pleurer.

VALENTIN

Et à moi envie de t'aimer, de te le dire, et de vivre pour toi. Cécile, sais-tu à qui tu parles, et quel est l'homme qui ose t'embrasser ?

CÉCILE

Dites-moi donc le nom de mon étoile. Vous n'en êtes pas quitte à si bon marché.

VALENTIN

Eh bien ! c'est Vénus, l'astre de l'amour, la plus belle perle de l'Océan des nuits.

CÉCILE

Non pas; c'en est une plus chaste, et bien plus digne de respect; vous apprendrez à l'aimer un jour, quand vous vivrez dans les métairies, et que vous aurez des pauvres à vous; admirez-la, et gardez-vous de sourire; c'est Cérès, déesse du pain.

VALENTIN

Tendre enfant! je devine ton cœur; tu fais la charité, n'est-ce pas?

CÉCILE

C'est ma mère qui me l'a appris; il n'y a pas de meilleure femme au monde.

VALENTIN

Vraiment? je ne l'aurais pas cru.

CÉCILE

Ah! mon ami, ni vous, ni bien d'autres, vous ne vous doutez de ce qu'elle vaut. Qui a vu ma mère un quart d'heure, croit la juger sur quelques mots au hasard. Elle passe le jour à jouer aux cartes, et le soir à faire du tapis; elle ne quitterait pas son piquet pour un prince; mais que Dupré vienne, et qu'il lui parle bas, vous la verrez se lever de table, si c'est un mendiant qui attend. Que de fois nous sommes allées ensemble, en robe de soie, comme je suis là, courir les sentiers de la vallée, portant la soupe et le bouilli, des souliers, du linge, à de pauvres gens! Que de fois j'ai vu, à l'église, les yeux des malheureux s'humecter de pleurs lorsque ma mère les regardait! Allez, elle a droit d'être fière, et je l'ai été d'elle quelquefois.

VALENTIN

Tu regardes toujours ta larme céleste, et moi aussi, mais dans tes yeux bleus.

CÉCILE

Que le ciel est grand! que ce monde est heureux! que la nature est calme et bienfaisante!

VALENTIN

Veux-tu aussi que je te fasse de la science et que je te parle astronomie? Dis-moi, dans cette poussière de mondes, y en a-t-il un qui ne sache sa route, qui n'ait reçu sa mission avec la vie, et qui ne doive mourir en l'accomplissant? Pourquoi ce ciel immense n'est-il pas immobile? Dis-moi; s'il y a jamais eu un moment où tout fut créé, en vertu de quelle force ont-ils commencé à se mouvoir, ces mondes qui ne s'arrêteront jamais?

CÉCILE

Par l'éternelle pensée.

VALENTIN

Par l'éternel amour. La main qui les suspend dans l'espace n'a écrit qu'un mot en lettre de feu. Ils vivent parce qu'ils se cherchent, et les soleils tomberaient en poussière, si l'un d'entre eux cessait d'aimer.

CÉCILE

Ah! toute la vie est là.

VALENTIN

Oui, toute la vie — depuis l'Océan qui se soulève sous les pâles baisers de Diane, jusqu'au scarabée qui s'endort jaloux dans sa fleur chérie. Demande aux forêts et aux pierres ce qu'elles diraient si elles pouvaient parler? Elles ont l'amour dans le cœur et ne peuvent l'exprimer. Je t'aime! voilà ce que je sais, ma chère; voilà ce que cette fleur te dira, elle qui choisit dans le sein de la terre les sucs qui doivent la nourrir; elle qui écarte et repousse les éléments impurs qui pourraient ternir sa fraîcheur! Elle sait qu'il faut qu'elle soit belle au jour, et qu'elle meure dans sa robe de noce devant le soleil qui l'a créée. J'en sais moins qu'elle en astronomie; donne-moi ta main, tu en sais plus en amour.

CÉCILE

J'espère, du moins, que ma robe de noce ne sera pas mortellement belle. Il me semble qu'on rôde autour de nous.

VALENTIN

Non, tout se tait. N'as-tu pas peur? Es-tu venue ici sans trembler?

CÉCILE

Pourquoi? De quoi aurais-je peur? Est-ce de vous ou de la nuit?

VALENTIN

Pourquoi pas de moi? qui te rassure? Je suis jeune, tu es belle, et nous sommes seuls.

CÉCILE

Eh bien! quel mal y a-t-il à cela?

VALENTIN

C'est vrai, il n'y a aucun mal; écoute-moi, et laisse-moi me mettre à genoux.

CÉCILE

Qu'avez-vous donc? vous frissonnez.

VALENTIN

Je frissonne de crainte et de joie, car je vais t'ouvrir le fond de mon cœur. Je suis un fou de la plus méchante espèce, quoique, dans ce que je vais t'avouer, il n'y ait qu'à hausser les épaules. Je n'ai fait que jouer, boire et fumer depuis que j'ai mes dents de sagesse. Tu m'as dit que les romans te choquent; j'en ai beaucoup lu, et des plus mauvais. Il y en a un qu'on nomme Clarisse Harlowe; je te le donnerai à lire quand tu seras ma femme. Le héros aime une belle fille comme toi, ma chère, et il veut l'épouser; mais auparavant il veut l'éprouver. Il l'enlève et l'emmène à Londres, après quoi comme elle résiste, Bedfort arrive... c'est-à-dire, Tomlinson, un capitaine... je veux dire Morden... non, je me trompe... Enfin, pour abréger... Lovelace est un sot, et moi aussi, d'avoir voulu suivre son exemple... Dieu soit loué! tu ne m'as pas compris... je t'aime, je t'épouse, il n'y a de vrai au monde que de déraisonner d'amour.

Entrent Van Buck, la baronne, l'abbé, et plusieurs domestiques qui les éclairent.

LA BARONNE

Je ne crois pas un mot de ce que vous dites. Il est trop jeune pour une noirceur pareille.

VAN BUCK

Hélas! madame, c'est la vérité.

LA BARONNE

Séduire ma fille! tromper un enfant! déshonorer une famille entière! Chansons! Je vous dis que c'est une sornette; on ne fait plus de ces choses-là. Tenez, les voilà qui s'embrassent. Bonsoir, mon gendre; où diable vous fourrez-vous?

L'ABBÉ

Il est fâcheux que nos recherches soient couronnées d'un si tardif succès; toute la compagnie va être partie.

VAN BUCK

Ah ça! mon neveu, j'espère bien qu'avec votre sotte gageure...

VALENTIN

Mon oncle, il ne faut jurer de rien, et encore moins défier personne.

TABLE

DISTRIBUTION

ALLEMAGNE
BUCHVERTRIEB O. LIESENBERG
Grossherzog-Friedrich Strasse 56
D-77694 Kehl/Rhein

ASIE CENTRALE
KAZAKHKITAP
Pr. Gagarina, 83
480009 Almaty
Kazakhstan

BULGARIE et BALKANS
COLIBRI
40 Solunska Street
1000 Sofia
Bulgarie

OPEN WORLD
125 Bd Tzaringradsko Chaussée
Bloc 5
1113 Sofia
Bulgarie

CANADA
EDILIVRE INC.
DIFFUSION SOUSSAN
5740 Ferrier
Mont-Royal, QC H4P 1M7

ESPAGNE
PROLIBRO, S.A.
Cl Sierra de Gata, 7
Pol. Ind. San Fernando II
28831 San Fernando de Henares

RIBERA LIBRERIA
PG. Martiartu
48480 Arrigorriaga
Vizcaya

ETATS-UNIS
DISTRIBOOKS Inc.
8220 N. Christiana Ave.
Skokie, Illinois 60076-1195
tel. (847) 676 15 96
fax (847) 676 11 95

GRANDE-BRETAGNE
SANDPIPER BOOKS LTD
22 a Langroyd Road
London SW17 7PL

ITALIE
MAGIS BOOKS
Via Raffaello 31/C 6
42100 Reggio Emilia

LIBAN
SORED
Rue Mar Maroun
BP 166210
Beyrouth

LITUANIE et ETATS BALTES
KNYGU CENTRAS
Antakalnio str. 40
2055 Vilnius
LITUANIE

MAROC
LIBRAIRIE DES ECOLES
12 av. Hassan II
Casablanca

POLOGNE
NOWELA
Ul. Towarowa 39/43
61896 Poznan

TOP MARK CENTRE
Ul. Urbanistow 1/51
02397 Warszawa

PORTUGAL
CENTRALIVROS
Av. Marechal Gomes
Da Costa, 27-1
1900 Lisboa

ROUMANIE
NEXT
Piata Romana 1
Sector 1
Bucarest

RUSSIE
LCM
P.O. Box 63
117607 Moscou
fax : (095) 127 33 77

PRINTEX
Moscou
tel/fax : (095) 252 02 82

TCHEQUE (REPUBLIQUE)
MEGA BOOKS
Rostovska 4
10100 Prague 10

TUNISIE
LE DISTRIBUTEUR
39, rue Naplouse
1002 Tunis

ZAIRE
LIBRAIRIE DES CLASSIQUES
Complexe scolaire Mgr Kode
BP 6050 Kin Vi
Kinshasa/Matonge

FRANCE
Exclusivité réservée
à la chaîne MAXI-LIVRES
Liste des magasins : MINITEL
« 3615 Maxi-Livres »

IMPRIMÉ EN FRANCE PAR BRODARD ET TAUPIN
Usine de La Flèche (Sarthe), le 11-09-1996
B/BK 028-96 – Dépôt légal, septembre 1996